Telenovela

Dados Internacionais de Catalogação na Publicação (CIP)
(Câmara Brasileira do Livro, SP, Brasil)

Sadek, José Roberto
Telenovela: um olhar do cinema / José Roberto Sadek –
São Paulo: Summus, 2008.

Bibliografia.
ISBN 978-85-323-0475-9

1. Cinema – Linguagem 2. Cinema e televisão 3. Comunicação
4. Dramaturgia 5. Telenovelas 6. Televisão – Linguagem
I. Título.

08-02273 CDD-791.457

Índice para catálogo sistemático:

1. Telenovelas: Influências do cinema:
Artes da reprodução 0.401

JOSÉ ROBERTO SADEK

Telenovela

Um olhar do cinema

summus
editorial

TELENOVELA
Um olhar do cinema

Editora executiva: **Soraia Bini Cury**
Assistentes editoriais: **Bibiana Leme e Martha Lopes**
Capa: **Alberto Mateus**
Projeto gráfico: **Alberto Mateus**
Diagramação: **Crayon Editorial**

Summus Editorial
Departamento editorial:
Rua Itapicuru, 613 – 7º andar
05006-000 – São Paulo – SP
Fone: (11) 3872-3322
Fax: (11) 3872-7476
http://www.summus.com.br
e-mail: summus@summus.com.br

Atendimento ao consumidor:
Summus Editorial
Fone: (11) 3865-9890

Vendas por atacado:
Fone: (11) 3873-8638
Fax: (11) 3873-7085
e-mail: vendas@summus.com.br
Impresso no Brasil

Este livro é uma síntese da tese de doutorado em
Ciências da Comunicação apresentada à
Escola de Comunicações e Artes da Universidade de São Paulo.

Meus agradecimentos à professora Maria Dora Mourão
e aos professores Ismail Xavier, João Luis Vieira,
José Soares Gatti Junior e Roberto Franco Moreira
pelas valiosas sugestões.

Agradeço também às minhas filhas, Luna e Jana,
e à minha companheira, Maristela,
pelo carinho e paciência neste longo trajeto.

SUMÁRIO

PREFÁCIO

A forma narrativa da telenovela é certamente a referência dramatúrgica mais forte e mais presente na vida dos brasileiros, incluindo os que, como eu, escrevem para o cinema ou para a TV. Nós – os roteiristas – muitas vezes não percebemos como essa influência da telenovela não costuma ser boa para os roteiros. O que funciona bem na TV pode funcionar muito mal no cinema (suponho que a recíproca seja verdadeira). Os populares manuais de roteiro de cinema disponíveis nas livrarias – principalmente os norte-americanos – passam ao largo dessa questão. Por isso é muito oportuna a publicação deste livro de José Roberto Sadek. Ao tratar do cinema e da telenovela com profundidade teórica e abundância de exemplos práticos, ele vai muito além do óbvio. E nos ensina a entender as diferenças e semelhanças de formas narrativas que, a despeito da origem comum, são particularizadas pelos distintos suportes tecnológicos e as respectivas formas de recepção que esses suportes determinam. O olhar cinematográfico que Sadek lança sobre a telenovela serve, também, para nos ajudar a entender o próprio cinema.

Bráulio Mantovani
Roteirista de cinema, responsável pelo roteiro de *Cidade de Deus* e *Tropa de elite*, entre outros

PRIMEIRAS PALAVRAS

NÃO POR ACASO AS TELENOVELAS estão entre os programas mais cuidados e mais caros da TV brasileira. São campeões de audiência e atraem milhões de pessoas, que assistem ao mesmo tempo à mesma história. Com enorme público, é compreensível que mereçam muita atenção das emissoras, que dependem diretamente da quantidade de espectadores sintonizados em sua freqüência, o que, em última análise, significa sobrevivência econômica. Há vários programas que trazem influência, prestígio e audiência para as emissoras. Com esse conjunto pouco extenso – composto principalmente por ficções, jornalismo e esportes –, as telenovelas têm cativado diferentes tipos de espectadores e fidelizado enormes contingentes populacionais. A serialização das histórias gera o hábito diário de seguir as tramas e os personagens.

Os anunciantes que destinam recursos para as emissoras obviamente preferem que seus produtos sejam mostrados quando há mais gente assistindo ao canal. Com mais anúncios e, portanto, mais dinheiro, mais a emissora poderá investir naquele horário e naquele tipo de programa. No Brasil, freqüentemente mais da metade dos aparelhos de TV ligados sintonizam a mesma telenovela, que, em contato diário com os espectadores, lança modas, induz comportamentos, opina acerca de polêmicas, presta serviços e participa do cotidiano do país. É inegável a influência das telenovelas e da TV na vida cultural, política e comportamental da sociedade brasileira.

O começo da TV no Brasil foi improvisado. Ela foi trazida praticamente num rompante, na década de 1950, e, como não havia gente especializada nesse trabalho, os técnicos do rádio foram requisitados para fazer os primeiros programas da TV. Os profissionais da geração seguinte aprenderam com os colegas mais velhos, criando uma cadeia que passava o conhecimento do mestre para o aprendiz, como nas sociedades de tradição oral, pré-escrita. Os saberes eram transmitidos de modo antiquado, incompatível com a alta tecnologia do meio eletrônico. Porém, com o tempo, os profissionais ficaram mais especializados, adquiriram mais informação técnica (desenvolvida com a própria evolução tecnológica) e maior repertório e se tornaram mais preparados para a responsabilidade de entreter milhões de pessoas e de falar para elas. No entanto, houve pouca sistematização dos conhecimentos e procedimentos referentes ao fazer televisivo.

A matéria-prima da TV é o tempo, e, como não é possível parar o relógio, não se pode interromper a produção de programas. As telenovelas, parte do incessante fluxo televisivo, têm suas histórias adaptadas às necessidades de produção diária e infalível e contam com um eficiente planejamento industrial, mas não geraram um número de estudos compatível com sua presença na sociedade.

As características da TV (e das telenovelas) propiciaram estudos principalmente nas linhas social, antropológica, comportamental, política e técnica. Análises de linguagem foram feitas esparsamente, e é justamente este o sentido deste estudo: entender alguns aspectos da linguagem e da narrativa das telenovelas, que, como veremos, alterou paradigmas estabelecidos.

Sendo um campo quase inexplorado e com pouco material de referência, optei por procurar sistematizações em áreas similares para constituir um ponto de partida.

Como as telenovelas são modalidades audiovisuais, pareceu-me adequado usar como referência algum modelo também audiovisual. Quem desenvolveu e sistematizou modelos com precisão nessa área foi o cinema clássico, produção típica dos grandes estúdios norte-americanos dos anos 1920 aos 1950/60. Até hoje, muitas características narrativas desse cinema são utilizadas em praticamente todas as cinematografias ocidentais. Não significa dizer que as produções ocidentais resumem-se a filmes com traços do cinema clássico, mas apenas que os paradigmas clássicos estão presentes em uma vasta gama de formatos e gêneros narrativos. Por seu lado, a platéia se habituou à narrativa clássica, cuja utilização favorece os cineastas que desejam melhor comunicação com seu público.

Para este trabalho uso os conceitos do cinema clássico como guia de análise e como referência para as reflexões. Não se trata, certamente, de conferir se as telenovelas se encaixam nos paradigmas desse tipo de cinema. Trata-se de emprestar um sistema bem definido como referência de trajeto e, com base nele, fazer a comparação com outro meio (TV), de outra época, que conta histórias usando condições objetivas bem diferentes (capítulos, duração, estratégia de escritura, veiculação).

O cinema clássico, que se consolidou ao longo de vários anos, está sistematizado em manuais desenvolvidos pelas empresas de cinema norte-americanas e por estudos exaustivos de vários pesquisadores acadêmicos. Entre os manuais, dois parecem ter predominado nos estúdios hollywoodianos. Ambos partem de princípios diferentes e não são contraditórios entre si; tratam não só da estrutura dramática, como consideram também um conjunto de fatores envolvidos no ato de contar histórias. Um deles é *Screenplay: the foundations of screenwriting* [*Manual de roteiro*], de Syd Field, e o outro é *The writer's journey: mythic structure for writers* [*A jornada do escritor*], de Christopher Vogler. O primeiro organiza o filme com base na divisão teatral em atos, pontos de clímax e resolução.

O segundo parte da leitura mitológica da trajetória do herói desenvolvida por Joseph Campbell em *The hero with a thousand faces* [*O herói de mil faces*] e descreve similaridades nos percursos dos heróis que vencem os inimigos e são recompensados.

Ambos são criticados por apresentarem fórmulas de fazer filmes. No entanto, suas constatações são sínteses fundamentadas em estudos de repetições de ocorrências. Assim, os autores chegaram a paradigmas, a estruturas estáveis que indicam situações dramáticas constantes.

Sob o aspecto da pesquisa, uma das referências mais amplas e fundamentais para entender o cinema clássico é *The classical Hollywood cinema*, escrito por David Bordwell, Janet Staiger e Kristin Thompson. Este livro, entre outros também essenciais e complementares desse trio e de outros autores, trata do conceito, da história e das características do paradigma clássico de narração cinematográfica, do sistema de produção e daquilo que circunda o fazer cinematográfico.

É importante aqui alertar o leitor para uma distinção semântica: o termo "clássico" em geral remete à produção realizada durante o período da Antiguidade greco-romana. Na linguagem usual, "clássico" significa produto exemplar, apurado, tão importante que se torna uma referência. Um "filme clássico" é um filme que não se pode perder, que foi fundamental para a evolução da história do cinema, que influenciou outros filmes e que serve de fonte para outros trabalhos. Nesta análise, no entanto, "cinema clássico" tem outro significado e não corresponde necessariamente a um cinema ou filme imprescindível; aqui "cinema clássico" é o cinema feito com regras e intenções claras, produzido industrialmente à moda dos grandes estúdios hollywoodianos e de acordo com determinados paradigmas. Nem todas as películas do chamado cinema clássico são filmes clássicos. E, por outro lado, nenhum filme é o filme clássico ideal, posto que todos são alternativas uso do modelo. Cada filme do cinema clássico apresenta um equilíbrio instável das normas clássicas (Bordwell, 1985, p. 5).

Então, à medida que as informações ou os conceitos do cinema clássico forem necessários para referenciar a narrativa das telenovelas, eles serão explicados, evitando aborrecer o leitor com dados que ainda não são úteis para entender o assunto tratado.

Para essa empreitada, usaremos algumas obras brasileiras que servirão de exemplo e, muitas vezes, de orientação para conduzir este escrito. Para a narrativa clássica teremos dois filmes brasileiros, que, mesmo não sendo filmes do "cinema clássico", usam muitas de suas qualidades e de seus paradigmas narrativos. *O cangaceiro* (1953), de Lima Barreto, é uma produção dos estúdios Vera Cruz que se espelhava nos estúdios norte-americanos e que, intencionalmente, obedecia aos paradigmas do cinema clássico. Também *O grande momento* (1957), de Roberto Santos, conhecido como um representante do chamado neo-realismo brasileiro, que foi produzido pelos estúdios Maristela de maneira informal, quase como uma ação entre amigos, não se furtou a usar elementos da narrativa clássica. Ambos os filmes são, de certo modo, contemporâneos ao surgimento da TV no Brasil.

Dois filmes brasileiros recentes também serão exemplares importantes para este trabalho. Atualmente, há vasta gama de tipos de filmes sendo produzidos no Brasil (e no mundo), e, dentro dessa ampla variedade, algumas produções apresentam traços narrativos semelhantes a alguns desenvolvidos pela televisão, mesclados com outros traços do cinema clássico. Isso não faz deles nem filmes clássicos, nem cópias da televisão, apenas indica que são obras de certa maneira sintonizadas com o repertório do público e com as raízes cinematográficas. Os dois filmes brasileiros que se enquadram nessa tendência são *Cidade de Deus* (2002), de Fernando Meirelles, e *Carandiru* (2003), de Hector Babenco. Ambos foram muito comentados pela crítica e levaram expressivo número de espectadores aos cinemas.

Algumas telenovelas serão mencionadas por sua importância ou referência na memória do espectador; outras, por terem sido acompanhadas minuciosamente por mim enquanto eram transmitidas. Faz parte do sistema das telenovelas assistir a elas com outros milhões de espectadores, conversar sobre elas e ouvir e ler as fofocas que envolvem os atores.

As telenovelas brasileiras são respeitadas e reconhecidas no mundo inteiro, e a TV Globo, embora não seja a pioneira nem a única emissora importante na história das telenovelas (Tupi e Excelsior também figuram entre as protagonistas), é aquela que, no começo do século XXI, detém melhor conhecimento de produção e exporta para o mundo inteiro uma infinidade de títulos. Entre os vários horários, aquele que apresenta tramas mais estruturadas é o da "novela das 8", exibida às 21 horas.

Para terminar estas primeiras palavras, os critérios e a divisão em unidades que compõem este trabalho vieram da análise e do convívio com as obras, não sendo originários de qualquer modelo ou teoria. Particularmente neste livro, o leitor tem o papel de protagonista, para o qual e em respeito ao qual tudo foi organizado.

1

A TELENOVELA E A TRADIÇÃO DE CONTAR HISTÓRIAS

A tradição

A TELENOVELA pode ser incluída em uma das mais antigas tradições da espécie humana: a de contar e ouvir histórias. Desse ponto de vista, ela tem um passado significativo, que começa com a primeira narrativa.

A origem da linguagem é tema de acalorados debates, com hipóteses que vão da evolução gradual de capacidades cerebrais ao simples criacionismo. Houve, em algum momento, um primeiro conjunto de narrativas, que somente puderam ocorrer sob determinadas condições neurológicas apresentadas pelo *Homo sapiens*, no final do período Paleolítico, o que nos dá uma idéia temporal: provavelmente, o primeiro arremedo de história foi contado e entendido aproximadamente 200 mil anos antes do nosso "Era uma vez...".

As narrativas, antigas ou modernas, são produtos culturais expressos por um conjunto organizado de signos. A existência dos relatos requer um grau mínimo de manipulação da linguagem. Segundo Todorov (1979, p. 108), não há histórias primitivas, há histórias construídas, e essa construção é feita de acordo com regras de uso da linguagem.

Uma história é um relato intencional de ações, uma exposição de fatos e de acontecimentos encadeados, relacionados entre si. Schank (2002, p. 288), como Aristóteles, explica que as histórias têm, em última análise, natureza didática, pois pretendem explicar ou convencer os ouvintes de alguma idéia, conceito ou verdade. Essa natureza educativa não exime as histórias de entreterem ou de serem agradáveis aos seus contadores e espectadores. O prazer de estar em conjunto, de desfrutar a companhia dos demais, de passar momentos comungando os mesmos sentimentos e os mesmos rituais também torna as histórias momentos necessários às tribos humanas e ansiados por elas.

As histórias, diz Lévy (1993, p. 77), foram as principais responsáveis pela transmissão do conhecimento nas sociedades orais, nas quais os registros eram armazenados apenas na memória de seus membros. A memória é construída e mantida por essas histórias (Schank, 2002, p. 294), que, por milhares de anos, foram a única maneira de comunicar e transmitir de modo estruturado acontecimentos, fatos e conhecimentos. Talvez a melhor maneira de entender uma sociedade seja conhecer suas histórias sobre conflitos, soluções, costumes ou rituais (Graesser, 2002, p. 229). Elas revelam a cultura da sociedade que as produziu.

As histórias eram e são criadas com base em experiências da sociedade e também com base em seus desejos, fantasias, anseios, temores, sabedorias e ignorâncias. As histórias compõem o grupo de ações destinadas a preservar e a fazer evoluir a espécie humana. Por meio delas, uma tribo ou um povo pode garantir a sobrevivência de suas crias e manter o conhecimento relativo à sua continuidade.

Uma das principais funções sociais das histórias é instruir ou aculturar os indivíduos. Esslin (1978, p. 23), mais contundente, afirma que essas instruções são lavagens cerebrais que ajudam as pessoas a internalizarem seus papéis sociais. Benéficas, a serviço de forças mal-intencionadas ou ambas, as histórias têm sido contadas desde que o homem articulou signos. E continuam até hoje.

Com os séculos, inexoravelmente, o conceito de sobrevivência se alterou, e o modo de transmissão passou a ser não apenas oral, embora essa tradição com tantos milhares de anos pareça ser ainda a mais importante, principalmente entre as pessoas que se sentem mais confortáveis com as modalidades mais ancestrais de transmissão de conhecimento. Daí a existência e a valorização das rodas de conversas, das cantigas populares e das trocas informais.

As histórias, além de serem contadas, passaram também a ser registradas. As primeiras pinturas rupestres de que se tem notícia estão na Europa e datam de cerca de 30 mil a.C. Eram tentativas de registrar, organizar, manter e disseminar de modo não oral os rituais e os conhecimentos, para o bem (e o mal) da sociedade.

A sistematização da escrita não ocorreu rapidamente. Há registros de escrituras feitas 5 mil anos atrás. O primeiro alfabeto conhecido data de 1800 a 1500 a.C. Com a escrita, as histórias puderam ser armazenadas e o conhecimento desenvolvido pôde ser guardado e disseminado discretamente, e, depois, com Gutenberg, inventor da prensa tipográfica, difundido de modo amplo.

Com as evoluções sociais e tecnológicas, nossa espécie atingiu maior densidade demográfica e maiores agrupamentos humanos. As histórias passaram também a ser representadas, chegando a mais ouvintes e sendo mais facilmente absorvidas. Elas vinham acompanhadas de forte carga emocional (Lévy, 1993, p. 83), componente fundamental para que as narrativas e os conhecimentos que transmitiam fossem assimilados, além de se tornarem mais agradáveis de ouvir e ver.

Cresce a população, crescem as cidades, desenvolve-se cada vez mais a tecnologia, especializa-se o trabalho, e as histórias encontram outros suportes para serem contadas e transmitidas. Com esse aumento de população e de aglomerações, a tradição de contar histórias precisou ser adaptada. Em vez de um hominídeo falar para um punhado de outros, tem-se uma história sendo contada para muitas pessoas, depois para milhares e logo para milhões. Fomos da roda de conversa para o palco, depois para o livro, o rádio, o cinema e a televisão.

É de notar que, nesse longo processo, os conhecimentos passaram a ser ordenados e sistematizados no que chamamos hoje de educação, que assume papel importante na organização social. Mais tarde, essa educação foi democratizada e estendida a todas as classes sociais. O aprendizado ocupa outros espaços, chamados de escolas, em suas mais diversas variações. Com um modo aparentemente mais adequado à transmissão organizada dos conhecimentos e saberes da sociedade, as histórias priorizam outra função.

Para elas ficaram também a diversão, a reflexão, o jogo, a fantasia e a expressão de sonhos, pesadelos e ideais. É uma leve alteração na função social das histórias. Antes essas funções já estavam presentes, mas agora têm importância maior, como se pode constatar nos poemas, romances, contos e peças de teatro desenvolvidos ao longo dos tempos.

As mil e uma noites é um bom exemplo dessa função lúdica. Entre muitas outras possibilidades de entendimento, o livro mostra um jogo entre a vida e a morte estabelecido entre Sahrazad, que conta histórias para não ser morta, e Sahriyar, rei que tem por hábito matar as esposas ao amanhecer. Ele escuta as histórias dela, fica interessado e posterga o assassinato a cada dia. Após algumas dezenas de noites, torna-se evidente que Sahriyar não matará Sahrazad. Isso porque, em algumas noites, a história é interrompida em um momento de suspense, noutras, ela acaba, mas fica a promessa de que haverá outra melhor. A expectativa de mais histórias no dia seguinte basta para que ele adie novamente a pena de morte. Eles mantêm o processo indefinidamente não mais para Sahrazad sobreviver, mas pelo prazer de viver. O livro, então, passa de um jogo da morte para um jogo da vida, que dá graça e alegria à existência dos envolvidos.

As encenações públicas não tribais constituem o primeiro movimento compatível com a concentração de população nas cidades e com a ampliação de audiência, alguns falando para muitos: escritores, encenadores e atores, todos envolvidos na mesma contação de histórias para uma multidão de espectadores/ouvintes – alguns atentos, outros distraídos, outros até ignorando as histórias contadas.

Foi também assim que as primeiras sessões de cinema ocorreram. Filmes curtos eram exibidos em feiras abertas e em teatros de variedades para quem a eles quisesse assistir. Com o tempo, essas sessões foram organizadas e passaram a ter espaços específicos para as projeções, com horários e rituais particulares. A platéia se tornou mais concentrada e os relatos se transformaram em narrativas cada vez mais elaboradas e longas. Os filmes se constituíram numa modalidade inédita de contar histórias: poderiam, ao mesmo tempo, ser apresentados a vários grupos distintos inúmeras vezes, atingindo milhões de espectadores.

Com base no amplo leque de narrativas experimentais e originais, a indústria do cinema desenvolveu formulações eficazes para contar histórias para muitas e variadas pessoas e, principalmente, para garantir que essa diversidade de espectadores pudesse entender bem o que se passava na tela. O esforço de compreensão que se exigia da audiência era menor, e a importância dos contadores de história aumentava à medida que crescia seu grau de manipulação desses relatos. O teor das histórias, os personagens, sua articulação e seu ritmo ficavam sob o controle dos realizadores, invisíveis e poderosos. A eles cabe o poder e a responsabilidade de decidir quais histórias a audiência vai receber (Schank, 2002, p. 310).

Com o cinema, pela primeira vez, alcançamos uma forma de contar histórias que parece mais real que a própria realidade. O público espectador pode experimentar os relatos com realismo semelhante ao que a vida oferece, graças à fotografia em movimento e à organização dos planos (montagem).

Muitos daqueles que aparecem nas telas são elevados a patamares superiores de existência, como se estivessem em níveis intermediários entre os humanos e os deuses – talvez bem mais perto dos deuses. Seu comportamento fora das telas passa também a ser copiado por legiões de fãs, sem que essas atitudes imitativas necessariamente signifiquem o prazer aristotélico pelo aprendizado. Parecem estar mais relacionadas com o desejo de identificação. O estilo de vida desses seres superiores (os atores e as estrelas do cinema) e suas excentricidades são seguidos por boa parte da embevecida massa espectadora.

Tivemos as histórias orais, as encenações (teatros, óperas) e o cinema. Em todos eles, a audiência se desloca até o espaço em que se dá o ritual de contar e ouvir histórias. Porém, com o rádio e a televisão, outra característica se acrescenta à longa tradição de contar histórias: elas são levadas (transmitidas) até os indivíduos, que compõem um grupo de espectadores dispersos. É uma audiência não aglomerada, mas muito mais numerosa do que jamais foi possível conseguir na história da humanidade. E as histórias estão no aparelho transmissor, mesmo que o espectador não esteja ou que o aparato esteja desligado momentaneamente. Pela primeira vez, as histórias estão disponíveis, independentemente do interesse do espectador. Elas podem ser entendidas sincronicamente por milhões de pessoas distantes umas das outras. A televisão, remarca Thompson (2003, p. 79), oferece vários tipos de dramas a numerosos espectadores e permite que platéias exercitem sua compreensão dramática em proporção que nenhum filme ou peça de teatro conseguiu anteriormente.

Os atores, agora simulacros de deuses, têm o poder de estar ao mesmo tempo em milhares de lugares, falando a espectadores dispersos geograficamente. A onipresença da história e dos personagens nessa proporção é inédita na longa tradição das histórias. Comunicar-se com tanta gente diferente ao mesmo tempo demanda muita clareza dessas narrativas para garantir seu entendimento e não frustrar a audiência, que, como antigamente, quer escutar e desfrutar os relatos, aprendendo e divertindo-se com eles.

As telenovelas revivem todos os dias o ritual das histórias, divertem cotidianamente os espectadores e, como em *As mil e uma noites*, dão graça à vida. Muitas vezes, são a âncora de fantasia que permite ao indivíduo conviver com a realidade bem menos atraente.

Nos últimos anos da década de 1960 surge a rede universal de computadores. Nela, depois de alguns aprimoramentos desde os anos 1970, todos podem contar histórias e ser audiência ao mesmo tempo. Um novo estágio na tradição das histórias se apresenta: relatos interativos, nos quais cada um muda o que quer e como quer, interagindo com uma abstrata rede de conhecimentos e histórias disponível para todos e alimentada por todos.

À medida que mais uma mídia se acrescenta à veiculação das histórias, as anteriores não se extinguem. Todas as formas de contar e de ouvir histórias se mantêm vivas, de modo que sempre acoplamos novas tecnologias, novos formatos e novas estratégias de contar relatos sem excluir ou descontinuar os anteriores.

O tempo parece ter depurado os tipos de histórias mais apropriados a cada nova mídia, enquanto, simultaneamente, as modalidades mais antigas se mantêm enraizadas profundamente na audiência, como é o caso principalmente dos relatos orais.

Da industrial (cinema) à eletrônica (televisão), a forma de contar histórias se modificou. Adaptou-se ao rápido e constante desenvolvimento tecnológico e à mudança de compreensão da massa espectadora. Não se trata mais de um indivíduo ou de um grupo de pessoas que escutam. Trata-se de uma audiência composta por milhões de seres diferentes, com diversos níveis de repertório e distintos interesses e graus de entendimento daquilo que vêem, ouvem e sentem. Não é de estranhar que as telenovelas, que têm fortes componentes orais, encantem tanta gente:

são histórias, muitas vezes impecavelmente produzidas, muito bem contadas e apresentadas e fortemente ligadas à tradição de contar e ouvir relatos, que, a cada dia, religa enormes e diversificados grupos de espectadores aos ancestrais hábitos humanos.

Histórias e ações

UMA HISTÓRIA É O RELATO de uma cadeia de eventos situados no tempo e no espaço, ligados entre si e articulados por relações de causa e efeito, diz a pesquisadora Thompson (2001, p. 10), que, ao enfatizar a relação causa–efeito, evidencia referir-se ao cinema clássico. Por outro lado, Schank (2002, p. 289), estudioso ligado à cognição e à pesquisa da inteligência artificial, afirma que uma história é um relato coerente e estruturado de uma experiência real ou imaginária. Nos dois casos, a história é um modo de contar e encadear fatos, ou, como prefere Todorov (1979, p. 127), de revivê-los.

Um dos mais recorrentes e apaixonantes temas dos relatos ao longo dos séculos é o amor (Bordwell, 1985, p. 16; Tomachevski, 1968, p. 171) – da *Odisséia*[1] aos filmes de sessão da tarde, da *Bela adormecida*[2] às telenovelas das 21 horas. O desejo e o amor constituem, nas histórias, os principais elementos de disputa, desespero e felicidade, e, quando não são os temas centrais, os autores arranjam uma maneira de tê-los como temas secundários ou de entremeá-los nos embates sobre outros assuntos.

1 Poema escrito por Homero, provavelmente no século VII a.C. Narra as peripécias de Ulisses, que foi afastado de casa pelo deus Poseídon e recebe a ajuda do deus Zeus para regressar.

2 Conto de 1697 do escritor francês Charles Perrault adaptado para o cinema numa animação de Walt Disney.

As histórias encenadas seguem alguns princípios básicos. Um dos mais importantes é apresentar um conjunto de forças em confronto ou alguma desarmonia entre os personagens. O relato é o trajeto que leva à resolução do problema, passando por várias etapas.

Há sistematizações para outras modalidades de histórias, como a de Propp. Sua *Morfologia do conto maravilhoso* foi desenvolvida empiricamente após o estudo dos contos de fadas do folclore russo, mas, pela consistência, originalidade e profundidade da análise, é freqüentemente usada para balizar estudos a respeito de outros tipos de escritos e de outras modalidades de narrativas ficcionais. As funções ou ações dramáticas destacadas por ele são encontradas em vários relatos, embora os personagens mudem de história para história. Em seus estudos, Propp computou 31 funções que podem integrar uma narrativa em determinada ordem, independentemente de quem as protagoniza. No conhecido conto *Chapeuzinho vermelho*[3], por exemplo, o "ardil" (função 4) é preparado pelo Lobo Mau, que sofrerá o "castigo" (função 30) imposto pelo caçador. No filme *Peter Pan*[4], o grupo de crianças é posto à "prova" (função 12), mas o "combate ou enfrentamento" (função 16) ocorre entre o herói e o Capitão Gancho. O "salvamento" (função 22) é realizado por Sininho, que ficou arrependida de estar contra Peter Pan, que ela tanto ama.

Há também a sistematização de Souriau (1993, p. 58), para quem uma história tem seis componentes principais: a força vetorial temática, o representante para o qual se orienta essa força, um árbitro, um obtentor do bem disputado, um antagonista e um cúmplice.

3 Conto alemão do começo do século XIX escrito pelos irmãos Grimm.

4 História de J. M. Barrie. Os estúdios Disney produziram um filme, em 1953, baseado na obra, que se tornou um clássico do cinema de animação infantil.

No teatro e no cinema, foram os fundamentos propostos por Aristóteles – unidade de ação, de espaço e de tempo – que serviram de referência por muito tempo. As idéias e o padrão de qualidade sugeridos em sua obra *Poética*, há cerca de 2.300 anos, são pilares para a construção das narrativas encenadas até hoje.

Aristóteles desenvolveu seu pensamento com base na realidade artística de sua época, a do classicismo grego. Suas orientações geraram peças cuja duração da ação diegética era praticamente igual ao tempo de encenação dessa peça em um mesmo cenário. Na época, uma boa peça obedeceria necessariamente aos preceitos aristotélicos das três unidades. No entanto, novas interpretações surgiram, relativizando ou reinterpretando esses fundamentos. A unidade de espaço pode ser estendida a uma casa, a uma cidade ou a um planeta. A do tempo pode ser ampliada para uma seqüência de fatos, uma guerra ou mesmo uma vida.

No cinema, a unidade dos três elementos (ação, tempo e espaço) foi utilizada dentro de uma mesma seqüência, definindo-a como tal, mas não no filme inteiro (Bordwell, 1985, p. 61). No caso da unidade de ação, ela pode ser subdividida em ações menores subordinadas à principal (Pallottini, 1983, p. 54), e assim foi usada nas histórias contadas pelo teatro e cinema. Pallottini (1983, p. 13) entende que duas das três unidades de Aristóteles foram postas de lado, e não reinterpretadas. Apenas a unidade de ação se manteve nas narrativas encenadas. Até a chegada das telenovelas.

As narrativas orais e escritas podem ter pouca ação, usando em seus relatos descrições, impressões interiores e fantasias da imaginação dos autores ou dos personagens. Mas, com a presença de seres que representam as histórias, a ação passa a ser ingrediente fundamental. Mesmo quando são seres imaginários, como monstros, sapos falantes ou príncipes encantados, eles precisam de ação para interferir em suas tramas. É pelas ações dos personagens, no caso dos dramas encenados (teatro, cinema, televisão), que transparecem os estados interiores, tão caros à literatura. Por isso, é recomendável que as ações e as palavras estejam bem articuladas. Shakespeare, com Hamlet – um de seus personagens considerados "exemplares" na história dos dramas –, orienta os atores a adequar as palavras às ações e vice-versa[5].

Tem-se um drama quando há desarmonia; esse desequilíbrio é causado por uma ação. Também a procura por um novo equilíbrio se faz com ações, e o desenvolvimento da história decorre delas. Não há história e não há drama sem ação. Assim, o drama não conta uma ação, ele é a ação, conclui categoricamente Ball (1999, p. 23). A ação desencadeia-se com base em uma força interior que move o protagonista a agir, a interferir na história e a empurrá-la adiante. Desse modo, uma ação tem um propósito determinado, uma razão de ser fundamentada.

Para Hegel e seus seguidores, a ação nasce do conflito e não apenas de um desejo ou vontade. No contexto do drama, uma vontade colide com outra similarmente fundamentada e consistente, mas com sentido oposto. Temos, nesse caso, um quadro claro de confronto. Na literatura e no cinema, há histórias que não apresentam conflito explícito e que não deixam de ser histórias, como é o caso dos filmes descritivos ou de contemplação. No entanto, para boa parte do teatro e do cinema clássico ocidentais, há drama quando houver conflito. Brooks (1995) explica que, no melodrama, e este também é o caso das telenovelas,

5 Na peça teatral *Hamlet*, de Shakespeare, na segunda cena do terceiro ato, um circo que passa pelo castelo e, a pedido de Hamlet, encenará a seu tio, atual rei, e à rainha, sua mãe, um texto escrito por ele. Hamlet lhes dá a orientação: "Acomoda o gesto à palavra e a palavra ao gesto..." ou, em inglês, *"Suite the action to the word, the word to the action..."*.

estabelecido o conflito, um dos beligerantes deve ser vencido pelo opositor e, assim, excluído da comunidade ou da história.

Uma ação modifica a situação presente e conduz a um segundo momento, que requer outra ação, e, dessa forma, a história segue até sua conclusão, encadeando ações que levam a outras ações até que se atinja o desenlace final. O trinômio drama–conflito–ação parece ser indissociável, e ele o é para o cinema clássico. Um dos critérios na produção de um filme do cinema clássico é a unidade do conflito e das ações dirigidas à resolução do desequilíbrio. Conflitos secundários ocorrem, mas, como o nome diz, são secundários, periféricos ao andamento central; servem como moldura ou contraponto ao drama principal, mas, ainda assim, têm propósitos claros.

No filme *O grande momento*, por exemplo, os conflitos constantes entre Zeca e sua irmã Nair ajudam a entender a vida familiar, mas não são conflitos essenciais para o andamento da trama. As ações relacionadas com o romance latente entre Nair e Vitório, amigo de Zeca e responsável pela bicicletaria, também compõem um drama secundário, que transmite a possibilidade de outros romances na pequena comunidade. O interesse central de Zeca é ter seu casamento celebrado com toda a parafernália compatível com um grande momento, mas suas condições econômicas e sociais não permitem. Nesse caso, o opositor não é outra pessoa, mas a situação do personagem. Tem-se o conflito central entre o desejo de Zeca e suas modestas possibilidades materiais.

Em *O cangaceiro*, o conflito está entre o interesse de Teodoro, que quer levar a professora Olívia de volta à civilização, e o interesse do Coronel Galdino, que quer a moça presa e que se ofende com a traição de Teodoro. São desejos opostos de dois personagens.

Uma ação que não modifica o drama ou que não apresenta outro fato com ele relacionado é irrelevante e deve ser excluída da história. A abundância de fatos, por si, não produz um drama. Alguns filmes contemporâneos que seguem o modelo clássico, especialmente os de luta e de aventura, têm muita movimentação sem ação dramática, ocupam a atenção do espectador com coreografias marciais que nada acrescentam ao drama. As telenovelas também apresentam movimentações sem ação dramática, algumas realmente sem função, outras com funções secundárias, como reiterar características dos personagens, relembrar partes da história ou fazer propaganda de algum produto ou causa social.

Histórias seriadas

SE MAL SABEMOS quem contou a primeira história e quando ela foi contada, mais difícil ainda é assegurar o momento em que foi dividida em capítulos – provavelmente, essa divisão nem se chamava capítulo.

Há quem diga que a origem da história em capítulos se confunde com a história do homem (Alencar, 2002, p. 41). É mais provável que as histórias parceladas tenham tomado forma quando já se podiam articular pensamentos mais longos e elaborados, e quando os enredos permitiam que fossem feitas pausas por qualquer motivo. Isso deve ter acontecido depois da fala e antes da escrita. Se um registro literário é necessário, provavelmente Sahrazad foi a primeira contadora de histórias em capítulos, em *As mil e uma noites*.

Como se pode constatar em Meyer (1996), os folhetins eram histórias contadas em partes, publicadas periodicamente em jornais. Essas histórias populares eram fundamentais para a venda dos jornais e, curiosamente, eram tão importantes para a sobrevivência deles como as telenovelas são para a economia de algumas redes de TV. O Brasil, que recebeu a primeira prensa somente em 1808, com a vinda de D. João VI, tinha naquele momento menos de 3% da população alfabetizada. Lentamente, mais brasileiros foram aprendendo a ler, e, ao mesmo tempo, os jornais foram aparecendo, com folhetins incluídos. A difusão dos folhetins e a alfabetização de maior parcela da população brasileira são contemporâneas, e, ainda que sem comprovação documental, é razoável pensar que o Brasil se alfabetizou enquanto lia folhetins. O encanto pelas histórias parceladas veio das elites cultas (que liam os jornais) e contaminou outras porções da população que se iniciavam nas letras. Até cerca de 1930, quando o rádio e o cinema já produziam dramas em episódios e capítulos, ainda se lia muito folhetim no país. Na década de 1940, quando o rádio ficou mais barato, a radionovela se tornou realmente popular, segundo Ortiz (Borelli, Ortiz, Ramos, 1991, p. 26). Portanto, no Brasil, desde os relatos orais, passando pela leitura em voz alta, até chegar à televisão, não houve interrupção no hábito de acompanhar histórias em parcelas.

Por volta de 1913, o cinema já produzia histórias em capítulos para se adaptar às mudanças do mercado audiovisual. Nas primeiras salas de cinema, o espectador ficava em pé, e, por isso, os filmes exibidos eram curtos, mas apresentavam continuidade na semana seguinte. Décadas depois, os mesmos heróis freqüentavam semanalmente as telas, fazendo a alegria da garotada (e dos adultos também), então sentada confortavelmente nas salas de cinema. Dos seriados do cinema derivaram os de TV, e também do cinema veio o modelo básico de parcelamento que influenciou a televisão e que é usado até hoje, conforme Machado (2000, p. 86) esclarece.

Em uma parceria prevista nos anos 1950 por Orain (1951), a TV se apropriou dos seriados do cinema como sua principal base para formatação de programas de ficção. As histórias então produzidas pela TV eram os teleteatros, exemplares únicos e artesanais, pouco adequados à equação custo/produto, o que abriu espaço para a produção de seriados. Como a TV transmite ininterruptamente, é necessário haver produção intensa para suprir o consumo elevado de programas. Muita produção a baixo custo é o princípio básico da indústria. Por exemplo, uma fábrica de automóveis apronta seus carros continuamente na linha de montagem. Eles são de cores diferentes, de modelos parecidos, mas saem da mesma linha de produção. Na TV, uma produção em série apresenta programas com os mesmos cenários, os mesmos atores e histórias parecidas. Há um evidente ganho de escala.

Um filme, assim como um livro ou uma peça de teatro, é único, é uma unidade que se auto-sustenta e que é consumida de modo independente das demais produções. Além disso, nesse caso, o mesmo produto é oferecido por meses ou anos. A TV, ao contrário, apresenta um fluxo contínuo de transmissão, independentemente do tipo de programas que veicula. É natural, portanto, que ela seja mais afeita ao modo de produção industrial, e os seriados são, por excelência, os programas mais adequados a esse modelo e os que melhor se adaptaram à indústria.

Por outro lado, a serialização ajuda a TV a manter seu público. O espectador disperso e inquieto tem sua atenção solicitada pela TV, que concorre com os demais atrativos do ambiente e da vida real. O seriado permite ao público acompanhar a história mesmo entre lapsos de atenção e se familiarizar com os personagens de modo que continue a conviver com eles, mesmo quando perde um capítulo ou parte dele. A serialização diária tem também a qualidade de requerer do espectador a suave disciplina de assistir voluntariamente à mesma história todos os dias na mesma hora, o que conseqüentemente organiza seu cotidiano, dando-lhe uma referência fixa, quase como se fosse um fenômeno natural que se repete todos os dias no mesmo período.

A produção seriada tem três modalidades distintas: minissérie, seriado e telenovela, como bem explica Pallottini (1998). A minissérie é uma história fechada, dividida em capítulos previamente definidos, com desenvolvimento e final decididos antes da produção. O seriado é uma seqüência de histórias com os mesmos personagens e cenários, em que cada episódio tem seu problema, evolução e desenlace; nele, o episódio seguinte começa como se o anterior não tivesse ocorrido. A telenovela, e aqui altero um pouco o que afirma Pallottini, é uma história também dividida em capítulos, mas, nesse caso, o seguinte é continuação do anterior; o sentido geral do conjunto é previsto inicialmente, mas seu desenrolar e desenlace não são previamente decididos; durante seu desenvolvimento, pode receber novos personagens e dar novos direcionamentos para as várias tramas que compõem o todo.

A telenovela

O CINEMA COMEÇOU MUDO. Com a chegada do som teve de vencer um dos principais desafios. A TV já começou sonora, não teve esse problema; ao contrário, desde o início era muito mais áudio que visual, e assim se mantém até a chegada da alta definição, das telas grandes e das múltiplas imagens interativas, que poderão, talvez, mudar a predominância sonora.

A telenovela parece ser herdeira dos folhetins, que encantam os leitores desde o século XIX, conforme Meyer (1996). Outra estudiosa, Costa (1998), reconhece nas telenovelas a estrutura, parcelamento e repetição dos arabescos (ornamentos de origem árabe, em geral, bidimensionais), e, por isso, considera a telenovela uma narrativa árabe-folhetinesca pela evidente proximidade com a estratégia usada em *As mil e uma noites*. Além disso, não se pode esquecer ou minimizar o papel da radionovela.

As telenovelas às quais assistimos, apesar do requinte de cenários, locações e figurinos, são narradas basicamente por meio de diálogos, sendo, portanto, verbais, mas com uma vantagem arrebatadora sobre o rádio: na TV, assiste-se a quem se ouve; o som tem forma visual e o dono da voz tem forma física. Esses traços mantêm relação íntima e talvez inconsciente com a tradição oral que predominou no Brasil da pré-história à alfabetização em massa do começo do século XX. A característica sonora da TV foi reforçada pelos pioneiros das telenovelas, a turma do rádio. Compulsoriamente deslocados para as telenovelas, dramaturgos, intérpretes e técnicos precisaram rapidamente inventar ou adotar uma estratégia para a encenação e para seu registro visual.

O Brasil já estava acostumado ao paradigma clássico visto no cinema e transmitido pela TV nos seriados e filmes. Mesmo sem ter explicitamente esse propósito, as telenovelas adotaram naturalmente o modelo clássico, e as decupagens, facilitadas pelo posicionamento de várias câmeras disponíveis nos estúdios, seguiam confortavelmente o consagrado paradigma. Do ponto de vista da TV, era econômico e cômodo utilizar um código bem-aceito pelos espectadores em vez de tentar inventar algo cujo resultado seria imprevisível; além disso, não estavam preparados para tal pesquisa, nem interessados nela. As equipes, com parcos conhecimentos audiovisuais, pouco se importavam com o fato de aderir ao sistema norte-americano de contar histórias. Bastava e era suficiente que as histórias fossem vistas e bem entendidas.

Portanto, meio sem querer e meio sem ter alternativa, as telenovelas adotaram o modelo clássico, especialmente nas decupagens e montagens (construções de espaço e de tempo). Outros componentes da história – a estrutura do drama, os personagens e questões como as unidades aristotélicas – foram elaborados, utilizados ou desprezados conforme as circunstâncias e a evolução da modalidade.

A primeira telenovela nacional, *Sua vida me pertence* (1951), da TV Tupi, era transmitida duas vezes por semana, com capítulos de cerca de 20 minutos de duração. O ator principal, Walter Foster, era também escritor e diretor da telenovela. Seu par era Vida Alves, e o casal protagonizou o primeiro beijo da TV brasileira.

Com o uso generalizado do videoteipe na década de 1960, o parcelamento das histórias ficou operacionalmente mais viável. A TV Excelsior importou da Argentina o modelo de telenovela diária e, em 1963, veiculou *25499 Ocupado* (na Argentina o nome era *0597 Dá ocupado*), a primeira telenovela exibida todos os dias. As telenovelas passaram a trabalhar segundo a reação da audiência, alongando ou encurtando as histórias conforme o interesse do público e dos anunciantes. *Redenção* (1966-1968), da TV Excelsior, chegou a ter 596 capítulos de romance, diálogos e lágrimas.

A TV Globo foi fundada em 1964, ano em que a TV Tupi apresentava o dramalhão do personagem Dr. Alberto Limonta, *O direito de nascer*, adaptado da radionovela cubana de autoria de Felix Caignet, também cubano. A produção obteve expressivas marcas de audiência.

Em 1967, ocorreu um curioso fato que preconizou o futuro da autoria das telenovelas: *Anastácia, a mulher sem destino*, de Emiliano Queiroz, da TV Globo, prolongava-se e não sabiam mais como dar continuidade a ela. A direção da emissora contratou a novelista Janete Clair, então na TV Tupi, para resolver o problema. Na época, a autora tinha pouca experiência, era casada com Dias Gomes, ajudava-o nos principais trabalhos e escrevia telenovelas mais leves. Para acertar os rumos da telenovela, provocou um terremoto na ilha em que se passava a história e matou a maioria dos personagens. Assim, recomeçou a trama praticamente do início. Paralelamente, a TV Globo importou a cubana Glória Magadan para escrever dramalhões para o horário nobre, superproduções situadas em lugares distantes geográfica e culturalmente. Repetia o que os demais países latino-americanos faziam na mesma época.

O estilo dos dramas longínquos de Glória Magadan foi abalado pela TV Tupi, já em processo de declínio, com *Beto Rockfeller* (1968-1969), de Bráulio Pedroso. Considerada a primeira telenovela moderna, com tema atual, referência direta do universo dos espectadores e características tipicamente brasileiras, *Beto Rockfeller* abriu as portas para o desenvolvimento da reconhecida qualidade das telenovelas brasileiras – e não foi um acidente, foi uma conseqüência de tentativas anteriores. O protagonista era um anti-herói, um enganador que vendia sapatos em um bairro popular e queria entrar para o mundo dos ricos. Os diálogos eram coloquiais e usavam gírias. A encenação era naturalista. Espectadores ricos e pobres ficaram encantados com as manobras de Beto para participar de um mundo que não era seu. Da maneira de falar ao modo de agir dos personagens, essa telenovela mudou os paradigmas televisivos de contar histórias.

Com a adoção da estratégia de programação por faixas de audiência, as telenovelas passaram a se especializar por horários, atendendo aos diferentes tipos de espectadores dos domicílios brasileiros. Na TV Globo, as telenovelas das 19 horas eram dirigidas aos públicos infantil e jovem; o horário das 20 horas era voltado à reunião da família em torno da TV, depois de assistirem ao *Jornal nacional*; e o horário das 22 horas era reservado a tramas mais adultas. Com o tempo, entraram também a faixa das 18 horas, com temas históricos, e a das 17h30, com temas juvenis; os horários das 20 e das 22 horas foram fundidos em um único, consagrado como "novela das 8", que é transmitida aproximadamente às 21 horas.

As telenovelas se tornaram um dos principais programas da TV, entorno dos quais toda a programação gravita. Por causa das telenovelas, as TVs organizam seus investimentos e, com base nelas, disputam a audiência com os concorrentes.

A cor, que chegou às telenovelas em 1973, pouco alterou as narrativas. Uma leve valorização das imagens pode ser observada na primeira telenovela colorida, *O bem-amado*[6] (1973), de Dias Gomes, da TV Globo. Posteriormente, atingiu-se o requinte em *Pantanal* (1990), de Benedito Ruy Barbosa, da TV Manchete, gravada com a estratégia e os cuidados de cinema, relevando a paisagem do pantanal brasileiro. Valorizou-se um pouco mais a imagem, mas a narrativa continuou basicamente dialogada, verbal.

O mérito de *O bem-amado* não está em seu colorido, mas em seu texto, situações e personagens, reconhecidos entre os mais

6 *O bem-amado*, telenovela de Dias Gomes, foi ao ar pela primeira vez de 24 de janeiro a 9 de outubro de 1973. Como seriado, teve 220 capítulos, de 22 de abril de 1980 a 9 de novembro de 1984.

inspirados e criativos da dramaturgia brasileira. A bem-humorada e crítica história é baseada em uma peça teatral de mesmo nome, também de Dias Gomes. A trama é um retrato da sociedade brasileira e se passa na fictícia cidade de Sucupira, interior da Bahia, onde o prefeito Odorico Paraguaçu conduz o município, a política e a vida da comunidade à moda dos tradicionais coronéis nordestinos (não por acaso essa telenovela foi constrangida pela censura). O principal problema que o prefeito enfrenta é a inauguração do cemitério, ensaiada há anos. No entanto, lá ninguém morre, apesar das manobras de Odorico, sempre mal-sucedidas. A "gloriosa Sucupira" passa por um longo período de "recessão defuntícia", e o único cadáver que aparece é roubado pela oposição e enterrado em um município vizinho. Enquanto isso, o demagógico prefeito faz discursos, manipula o vernáculo com criatividade e habilidade ímpares, inventa expressões e neologismos hilariantes. *O bem-amado* consagrou o horário das 22 horas e foi a primeira telenovela brasileira a ser exportada. Seu sucesso foi tão grande que acabou virando série para a TV durante cerca de quatro anos.

Ao longo da história das telenovelas foram necessários alguns arranjos na estratégia de programação, como a recolocação de tramas com temas históricos, que haviam sido banidas, a introdução de uma faixa adolescente no fim da tarde e a fusão das duas faixas da noite, como já mencionado. Adaptações e novas combinações fazem parte do cotidiano da atenta direção das emissoras, e, como se pode imaginar, alterações de linguagem são conseqüências naturais. A partir das décadas de 1970 e 1980, as telenovelas passam a ser escritas levando em consideração o mercado internacional, para o qual vão com redução de cerca de 30% dos capítulos.

A percepção que se tem hoje é que, acidentalmente, alguns aspectos conhecidos do drama (teatro e cinema) foram desenvolvidos pela TV à medida que as histórias, a audiência e os anunciantes os requeriam, sem que houvesse qualquer obediência à estrutura, ao estilo ou à teoria. A falta de compromisso com a tradição permitiu que a telenovela acrescentasse características inéditas às formas de drama conhecidas e aceitas. Por outro lado, o compromisso com o espectador foi decisivo e fundamental em todas as etapas de evolução e desenvolvimento da narração televisiva. Assim como o cinema clássico alterou suas características por causa do cinema experimental, da influência de outras mídias e da evolução dos espectadores, as primeiras telenovelas nacionais eram muito diferentes das seguintes, e, nestes quase 50 anos, muitas características foram alteradas, desenvolvidas ou abandonadas com o objetivo de contar a história e manter o espectador interessado.

Dentro da própria modalidade das telenovelas há especificidades e variações. As produções mais recentes apresentam uma combinação de situações e de personagens mais compatível com o voyeurismo do espectador, promovendo mudanças de cenas similares a um *zapping*, sem haver troca de canal. São exibidos, simultaneamente, personagens, cenas e situações trágicas, cômicas, sensuais, violentas, sociais, intimistas e psicológicas, encadeadas como se o espectador tivesse mudado de canal e sempre encontrasse boas tramas.

Nas décadas finais do século XX, a TV floresceu e a produção de telenovelas amadureceu. O mundo inteiro compra telenovelas brasileiras. Platéias de todos os continentes, de inúmeras nacionalidades e línguas, são encantadas por elas.

Os escritores passam a escrever em grupo, com base em pesquisas de tema, opinião e interesse da audiência, metodologia usada principalmente pela TV Globo e introduzida por José Bonifácio Sobrinho, Boni, responsável pelo "padrão Globo de qualidade".

O *merchandising* comercial se tornou uma das principais fontes de renda das telenovelas, respondendo por cerca de metade do seu custo (Alencar, 2002, p. 101). Por isso, os autores criam cenas exclusivamente para atender ao interesse dos anunciantes, e os personagens interrompem a trama para comentar algum produto.

Talvez para compensar a propaganda incluída nas tramas, começaram também a surgir abordagens de marketing social, informando o telespectador a respeito de temas caros à sociedade e, ao mesmo tempo, mobilizando os cidadãos para algumas causas, como: transplante de órgãos, vacinação, aids, venda de órgãos, tráfico de mulheres, reabilitação social dos deficientes e discriminação de minorias. Vários foram os assuntos socialmente incluídos pelas telenovelas que coincidiram com o interesse do público, que respondia à mobilização proposta e aderia aos movimentos. Entre muitos exemplos: a telenovela *América*[7] tinha Jatobá, um personagem cego com muita importância na trama, que mobilizou toda a sociedade para a causa dos deficientes visuais; *Páginas da vida*[8] tinha uma personagem com síndrome de Down; *Paraíso tropical*[9] propôs a adoção de crianças sem lar.

A suspeita de que a TV acabaria com o cinema e roubaria os espectadores das salas não se confirmou. Na passagem para o século XXI, a sinergia entre TV e cinema aumenta e filmes de sucesso passam a ser séries de televisão (*Carandiru*, *Cidade de Deus*, *Antonia*). Também séries e programas televisivos se tornam filmes

7 *América*, telenovela de Glória Perez, veiculada pela primeira vez em 2005.
8 *Páginas da vida*, de Manoel Carlos, exibida em 2007.
9 *Paraíso tropical*, telenovela de Gilberto Braga, encenada em 2007.

para o cinema (*Os normais*, *A grande família*, *Casseta e Planeta*, as séries de filmes com Xuxa e com Os Trapalhões, entre outros). Há um saudável intercâmbio de técnicos e tecnologias entre cinema e TV que já vem de algumas décadas; os filmes usam atores consagrados pela TV; o ritmo da TV é assimilado pelo cinema; as emissoras, especialmente a TV Globo, entram no mercado como produtoras e distribuidoras de cinema nacional.

Na sociedade brasileira, usando as palavras de Dias Gomes[10], a telenovela ocupa o espaço que o teatro popular nunca conseguiu ocupar. Ela chega a milhões de pessoas de praticamente todas as classes e grupos, comunica-se com uma infinidade de espectadores, influencia-os e responde às suas demandas dramáticas e sociais.

10 "Dessas primeiras experiências de teledramaturgia brasileira resultou a telenovela de hoje, que é bem brasileira, que possui personalidade, características e linguagem próprias, e que se diferencia bastante dos outros gêneros de escrita, principalmente dos folhetins cubanos, mexicanos e venezuelanos. Desses folhetins vieram as primeiras telenovelas do rádio brasileiro e, depois, as primeiras telenovelas de nossa televisão. Hoje, a telenovela brasileira constitui um gênero muito particular de teatro popular ou de teleteatro popular" (Mattos, 2004, p. 77).

"Conforme ouvi de Dias Gomes, 'a telenovela que encontrou um lugar junto ao povo, que o teatro popular não ocupou, porque nunca existiu, nem o melhor cinema brasileiro, por seu hermetismo'" (Alencar, 2002, p. 126).

2

ORGANIZAÇÃO DA NARRATIVA

PARA CHEGARMOS À ESTRUTURA das telenovelas, vamos nos basear na organização da narrativa do cinema clássico, que, como dito, serve de referência e parâmetro. O chamado "cinema clássico" é um modelo de contar histórias, produto de um conjunto de orientações para a realização de filmes com o predomínio da clareza e do realismo, nessa ordem, explica Thompson (1985, p. 226). O modelo é adaptável a diferentes situações dramáticas, personagens e gêneros cinematográficos e tem sua gênese num modo de produção industrial preocupado em comunicar para grandes platéias, em oferecer entretenimento e, como conseqüência, obter faturamento econômico.

Entre os anos 1909 e 1917, segundo a mesma estudiosa (p. 157), o sistema clássico de narrativa já tinha suas bases definidas, constituía-se num novo paradigma de contar histórias que permitia aos autores se dedicarem a tramas mais complexas, longas e com maior número de personagens. As décadas de 1930 e 1940 são consideradas anos de ouro (Thompson usa "*golden age*") do estilo clássico. Até os anos 1950, esse cinema influenciava a cinematografia de vários países e dominava a produção dos grandes estúdios. Nesse mesmo período, havia nos EUA e em outros países filmes dissonantes desse paradigma, que experimentavam e desenvolviam alternativas narrativas que, muitas vezes contrárias ao cinema clássico, davam elementos para que esse cinema assimilasse novidades. Os seriados e os filmes para TV também eram produzidos de acordo com as orientações clássicas, adaptando-se à complexidade dos meios e à duração das obras. Até os anos 1960, pouca coisa foi alterada no modelo típico do cinema clássico (Thompson, 2003, p. 19), e, até hoje, muitas características continuam sendo adotadas pela grande indústria norte-americana, pelos seriados de TV e até mesmo pelo cinema que não faz parte do principal circuito comercial.

Entre os vários estudos sobre o cinema clássico, poucos foram voltados às áreas práticas. O trabalho técnico e artístico era ensinado e aprendido principalmente pela antiga fórmula de mestre-aprendiz. Um especialista formava seu assistente até que um dia este se tornasse também um profissional competente. Na área de roteiros, entretanto, não foi assim. Com base em análises de vários filmes que apresentavam repetições de determinados padrões aceitos pelas platéias, os estudiosos e profissionais dos grandes estúdios elaboraram manuais para escrever roteiros. Mesmo assim, pela natureza e importância do objeto roteiro, especialistas e palpiteiros de toda ordem interferiam nas histórias até chegarem ao *set* de filmagem. Essas orientações sobre a composição da narrativa se consolidaram e se constituíram em estruturas sobre as quais os autores poderiam e deveriam ser criativos. Outras estruturas, talvez menos detalhadas, existiam e existem em outras cinematografias, até mesmo na norte-americana, mas a clássica predominou nos estúdios hollywoodianos, que detinham um modo de produzir específico.

Muitos elementos dessa organização da narrativa foram adotados por outros tipos de filmes, e alguns deles foram incorporados pelas telenovelas com várias adaptações, descartes e desenvolvimentos. Por sua vez, muitos filmes contemporâneos, dentro e fora dos Estados Unidos, também assimilaram alguns traços do cinema clássico mesclados com outras influências, inclusive da televisão e das telenovelas, sempre de modo relativo e criterioso.

Estrutura

O FILME DO CINEMA CLÁSSICO é um produto de alto custo e de realização industrial, cujo projeto é idealizado por produtores e gerentes dos estúdios, curiosamente como as telenovelas. Para minimizar erros e evitar prejuízos, o uso dos manuais era encorajado principalmente para orientar os roteiristas. Se por um lado não há ensinamento acadêmico ou de qualquer espécie sobre o assunto, por outro não existem tantas situações dramáticas diferentes (Carrière, 1995, p. 99) nem número tão grande de ações possíveis, como ensina Propp (1984, p. 26). Portanto, os manuais apenas organizam as estruturas dramáticas disponíveis, com o objetivo de ajudar a fazer filmes para grandes audiências de repertório diverso.

Syd Field e Christopher Vogler constataram repetições de elementos em vários filmes estudados e, assim, chegaram a suas sínteses. Já Propp chegou a suas funções analisando exaustivamente os contos russos. Por isso, os manuais de cinema indicam estruturas estáveis com situações dramáticas constantes.

O filme narra um problema apresentado no início que termina com uma solução, qualquer que seja. Para evitar que algum espectador distraído fique sem entender a história, o cinema clássico recomenda que as informações principais sejam reiteradas. Bordwell (1985, p. 31) sugere repetir os dados três vezes de maneiras distintas, e Thompson (2003, p. 27) nota que um personagem menciona o fato antes de ele ocorrer, em seguida o fato ocorre e depois alguém comenta sobre o fato ocorrido. Nas telenovelas, sem essa precisão, muitas informações são dadas repetidamente ao espectador de formas variadas, incluindo o recurso do *flashback*.

Field descreve o comportamento dramático de um filme clássico. Divide-o em três atos: o de abertura e apresentação do drama, o de desenvolvimento do drama e dos conflitos, e a resolução da desarmonia e o restabelecimento de um equilíbrio diferente daquele do começo. O autor descreve cada ato com precisão e, em cada um, indica pontos de inflexão da história. Já Thompson prefere dividir o filme em quatro atos, como veremos adiante.

A estrutura sintetizada por Vogler trata do percurso do herói. Descreve variantes de trajetos semelhantes percorridos por heróis mitológicos. Conforme esse paradigma, no início da história o herói não manifesta interesse pela desarmonia inicial, não quer se envolver no conflito; em seguida, vê-se compelido a participar do problema, enfrenta os desafios e chega à solução. No final, recebe uma recompensa. O herói vive em um mundo normal, ordinário, e sua jornada o levará a um mundo extraordinário, especial. Nesse modelo, o trajeto, que tem doze passos, é conseqüência do desequilíbrio inicial e segue inexoravelmente para o final, para a resolução do problema. Assim como no modelo de Propp, nem todas essas etapas ocorrem obrigatoriamente; a história pode omitir ou eliminar etapas, mas o caminho a ser percorrido pelo herói é necessariamente o indicado. Vogler também divide o filme em três atos, de tamanhos semelhantes aos indicados pelo paradigma de Field.

Há outros paradigmas de organização dos filmes – entre eles o de Schatz (1981, p. 30) – que apresentam variações entre si, mas não diferem essencialmente um do outro. Os dois explicados rapidamente aqui são modelos bem fundamentados com detalhes precisos, consistentes e não excludentes. Ambos, seguindo Aristóteles, consideram um drama único, um protagonista também único e uma história, em última análise, contínua. Neles, entre outros aspectos, há respeito à unidade de ação aristotélica com linearidade de desenvolvimento, começo, meio e fim da história. Mesmo quando a trama é apresentada de forma não-linear, ela é remontada e entendida pelo espectador em ordem cronológica, de modo a ser reproduzida começando pelos fatos iniciais e seguindo na seqüência em que a história ocorreu.

Os produtores não se preocupam com as críticas de que um paradigma possa impedir a criatividade. Para eles, basta o mais importante: as histórias contadas segundo esses parâmetros são compreendidas pelo público, são queridas, são reproduzidas pelos espectadores em conversas informais e enchem as salas de espetáculos (e os índices das TVs). São histórias bem recebidas pela audiência, que permanece atenta do início ao fim do filme.

Um exemplo é o filme *O cangaceiro*, de Lima Barreto, que conta uma história de forma cronológica, contínua, com começo, desenvolvimento e fim. Além disso, atende a outros parâmetros usados pelos estúdios hollywoodianos, como apresentar um protagonista e seu rival, anunciar o rumo da trama e chegar a um final coerente e verossímil. Nem por isso deixa de ser um filme brasileiro, considerado pela crítica especializada essencial na história do cinema nacional.

Outro exemplo de filme linear, cronológico, contínuo e coerente com os paradigmas comentados é *O grande momento*, de Roberto Santos. O filme é um drama de fácil compreensão, que apresenta o problema, mostra o desenvolvimento e chega a um final plausível. Nesse caso específico, o rival do protagonista não é um personagem, mas uma situação social. Pode-se dizer que os dois filmes têm traços dos paradigmas do cinema clássico.

As telenovelas sofreram mudanças e adaptações até chegarem ao formato com que se apresentam atualmente. Sua estrutura é bem mais complexa do que parece e pouco se relaciona com a do cinema.

Uma telenovela contemporânea trabalha com várias tramas ao mesmo tempo. As produções de décadas atrás não eram tão ricas em variedade e quantidade de dramas, e esse aprofundamento da estrutura em mosaicos parece constituir-se em um traço marcante dessa modalidade de contar histórias. Aristóteles, ao explicar a epopéia, já falava em apresentar partes simultaneamente; os folhetins do século XIX, conforme Meyer (1996), também apresentavam tramas "em gavetas"; portanto, desenvolver várias tramas não é inédito. Nas telenovelas, essa característica foi bem desenvolvida e aprimorada. Cada trama interna apresenta continuidade, mas o fato de algumas partes obedecerem a certos princípios não significa que o todo também obedecerá. São muitas tramas concomitantes que interferem umas nas outras, de modo que não se pode falar em conflito único nem em continuidade de ação na telenovela como um todo, tampouco de linearidade. Pode-se, no máximo, falar de continuidade em uma trama específica.

Genericamente, uma telenovela apresenta vários personagens envolvidos em várias tramas que evoluem ao mesmo tempo. No entanto, essa evolução não é tão previsível, pois as tramas preferidas pelos espectadores são priorizadas, mais cuidadas e mais elaboradas que as demais.

A estrutura de uma telenovela é como um feixe de tramas que se desenvolvem paralelamente, podendo ser agrupadas em núcleos dramáticos. Cada linha desse feixe apresenta características próprias e corresponde a um drama específico; já um grupo de linhas com traços comuns compõe um núcleo. Em vários momentos uma linha toca outras, mesmo sendo independente ou pertencendo a outro núcleo. Na telenovela *O bem-amado*, de Dias Gomes, podemos dividir o feixe de linhas em dois grandes núcleos: o da situação, com Odorico Paraguaçu e seus correligionários e simpatizantes, incluindo as "donzelas praticantes"; e o da oposição, com seus adversários políticos, desafetos, a "esquerda arruacista" e os "safadistas"[11]. Se observarmos esses núcleos mais de perto, podemos subdividi-los em grupos menores, quase familiares, como o da família das irmãs Cajazeiras (Dorotéia, Dulcinéia e Judicéia, o tio Coronel Hilário Cajazeira e o primo Ernesto).

11 Entre aspas os termos do "baianês" usado pelo personagem Odorico Paraguaçu, criado por Dias Gomes.

A telenovela *América*, de Glória Perez, mais recente que *O bem-amado*, também apresenta vários núcleos dramáticos organizados como um mosaico de dramas justapostos que se relacionam de formas variadas (e, às vezes, nem se relacionam). Seus personagens viajam muito, deslocam-se e aparecem em várias outras cidades que não as de origem, desenvolvendo várias tensões relacionadas entre si. Nesse emaranhado, parece mais lógico agrupar os dramas conforme a origem geográfica dos personagens, de acordo com os espaços diegéticos que abrigam suas ações. Como principais núcleos dramáticos de *América*, temos: Boiadeiros rica (casa de Neuta e casa de Laerte); Boiadeiros pobre (casa de Tião); Rio de Janeiro/Zona Sul (casa de Glauco, empresa de Glauco, casa de Laerte, escritório das advogadas Nina e Vera e casa de Vera); Rio de Janeiro/Vila Isabel (mercearia do Seu Gomes, casa de Sol, casa de Feitosa, casa de Islene e casa de Jatobá); Miami rica, legal (casa de May, casa de Ed e casa de Miss Jane); Miami ilegal (pensão de Consuelo, boate de Sol, casa das amigas de Sol).

Vários outros cenários são freqüentados pelos personagens, mas ou são passageiros ou não são relevantes a ponto de sediar núcleos dramáticos permanentes; são espaços adjacentes aos principais. É o caso da passagem ilegal pela fronteira entre México e EUA; da praia que Jatobá, Stallone e Radar freqüentam; do programa de TV sobre deficientes; dos restaurantes a que Glauco vai; das arenas de rodeios; da praça central de Boiadeiros etc.

Mesmo que, em função do critério, a escolha de núcleos tenha certo grau de arbitrariedade, o fato é que há vários núcleos de ação, cada um com algumas linhas dramáticas. Vários personagens atuam em diversos deles, embaralhando os dramas e acentuando essa característica típica da linguagem das telenovelas contemporâneas.

Cada um dos dramas apresenta um desenvolvimento específico, que talvez possa ser reconhecido pelos motivos ou funções de Propp. Acidentalmente, algumas histórias dentro da telenovela podem respeitar os parâmetros que Vogler propõe para o herói, mas nem todas ou quase nenhuma trama poderia tê-los como paradigma de estruturação. Tampouco a formulação de Field se aplica às linhas dramáticas da telenovela. Ambas – a de Field e a de Vogler – são desenvolvidas para formatos de longa-metragem, não sendo, portanto, aplicáveis diretamente ao feixe de uma telenovela nem às suas linhas dramáticas individualmente, cheias de idas e vindas conforme a conveniência do momento.

Essas linhas se tocam cada vez que um personagem de uma trama interage com personagens de outras tramas. São momentos em que se percebe que os dramas estão conectados e que, de alguma maneira, fazem parte do mesmo todo. São instantes delicados, porque permitem ao espectador comparar os dramas em termos de densidade, tempo, qualidade e importância para o conjunto. Quando esses encontros são freqüentes, a telenovela parece mais coesa; quando são raros, transmitem a sensação de que a telenovela não passa de uma colagem, de uma justaposição de fatos independentes. A excessiva freqüência desses encontros dificulta a análise, pois as tramas ficam embaralhadas demais para serem dissecadas, mas essa constância de contatos parece ser uma das qualidades apreciadas nas telenovelas.

Entre muitos outros exemplos, em *O bem-amado*, Nico Pedreira, editor do jornal *A Trombeta*, do núcleo do Partido Opositor, envolve-se com Anita, do núcleo do delegado; também o médico Juarez Leão, que salva vidas, para desespero de Odorico, ironicamente envolve-se com a filha do político, Telma.

América apresentou boa quantidade de encontros das tramas, sem prejudicar a independência delas. Entre muitos exemplos: Raíssa (Rio/Zona Sul) vai aos bailes *funk* com sua amiga Rosa, a balconista da mercearia de Gomes (Rio/Vila Isabel); Tião (Boiadeiros pobre) apaixona-se por Sol (Rio/Vila Isabel), vive na pensão de Consuelo (Miami ilegal) e casa-se com Simone (Boiadeiros rica e Rio/Zona Sul).

O fato de as telenovelas apresentarem muitos encontros de linhas e feixes não é obstáculo para a compreensão dos espectadores, como atestam os elevados índices de audiência desses programas.

As configurações que funcionam na literatura e nos filmes não necessariamente funcionam nas tramas que compõem as telenovelas. A linha de construção de uma telenovela não se encaixa em paradigmas nem em métodos desenvolvidos pelo teatro ou pelo cinema. O fato de a telenovela trabalhar com muitos personagens principais afasta as soluções dramáticas indicadas para outras histórias encenadas, que são arquitetadas para um protagonista (ou um grupo unido no papel principal) com trajeto preestabelecido. Por ser escrita conforme os índices de audiência, a telenovela minimiza o projeto dramático definido *a priori*, enquanto o teatro e o cinema sempre desenvolvem suas tramas conhecendo o final, muitas vezes construindo a história com base no desfecho.

A estrutura das telenovelas mudou com o passar do tempo, com a tecnologia e com o vertiginoso aumento do número de aparelhos de TV na sociedade brasileira. Ela varia de uma telenovela para outra, ainda quando realizadas no mesmo ano. *Belíssima* (2006), de Silvio de Abreu, diferentemente de *América*, começa apoiada nas mazelas de Bia Falcão. Todos os personagens são direta ou indiretamente afetados por Bia, que está no centro da trama. No primeiro círculo de personagens estão aqueles atingidos diretamente por suas ações. No segundo, mais afastado, estão os personagens afetados por quem está no primeiro círculo ou atingidos indiretamente por Bia. No começo da telenovela, Bia Falcão é uma protagonista como as do cinema clássico, é o centro dramático das tramas. Com sua morte (capítulo 64), essa estrutura se mantém por algum tempo, mas logo as várias tramas crescem e se desenvolvem de modo independente, retomando a característica fórmula das várias linhas dramáticas que têm vida própria e se interferem.

Em *Belíssima* há também a possibilidade de agrupar os núcleos conforme sua base geográfica, como em *América,* mas nesse caso com menos clareza: núcleos da Grécia; da rua de classe média; da classe alta; do bairro comercial sofisticado; do bairro operário; do cortiço; e alguns outros espaços de passagem.

Essa telenovela apresentou vários triângulos amorosos, com personagens de núcleos distintos. Entre eles: André/Júlia/Nikos; Érica/André/Júlia; Vitória/Pascoal/Safira; Freddy/Safira/Pascoal; Alberto/Mônica/Cemil; Pascoal/Rebeca/Alberto; Tadeu/ Taís/ Narciso; Soraya/ Tadeu/ Maria João; Mateus/Giovana/Cyro; Edmilson/Dagmar/Fladson, além de outros romances que apareceram no final da telenovela.

A organização das telenovelas parece apresentar alguns aspectos semelhantes a uma das vertentes do cinema brasileiro contemporâneo. *Carandiru,* filme de Hector Babenco, utilizou várias tramas, estratégia já usada pelo cinema e muito comum nas telenovelas, mas organizou-as de modo diferente. Entre os 120 personagens do filme, 26 eram principais, segundo o *site* do filme, e ,entre eles, muitos contaram suas histórias ao doutor em *flashback*; seis delas foram encenadas[12]. Com essa estratégia, o espectador conheceu os vários dramas pessoais um a um, em vez de conhecê-los aos poucos e entrelaçadamente durante todo o filme. São blocos independentes entre si, justapostos, que podem ser removidos sem perda do sentido geral do filme. Por outro lado, no presídio, os vários personagens interagem como nas telenovelas, criando um emaranhado de relações independentes entre si, mas convivendo no mesmo espaço e tempo.

Cidade de Deus, filme de Fernando Meirelles, usou outra maneira de relacionar muitos personagens e de mostrar o motivo central de suas ações. Desenvolveu a história e, em *flashback*, mostrou como ou onde seus personagens haviam se encontrado antes, dando à audiência outros ângulos de uma mesma ação, sob a ótica de outro personagem ou de outro tempo. Nesses momentos percebem-se a relação causa–efeito, a motivação dos personagens e como os vários dramas se tocam. Notam-se também algumas interações entre personagens que, até então, pareciam não existir. É uma arquitetura dramática complexa, elaborada, que permite ao espectador conhecer detalhes e motivações dos personagens no instante em que essas informações são relevantes. Também nesse filme a organização em rede, em mosaico, é perceptível.

Há no cenário contemporâneo muitos filmes com várias tramas, e *Carandiru* e *Cidade de Deus* estão entre os que usam elementos do paradigma do cinema clássico em sua estrutura e, ao mesmo tempo, aproveitam a estratégia dramática aprimorada pelas telenovelas para trabalhar com muitos personagens, estabelecer ligações entre dramas independentes e mostrar relações entre personagens de linhas dramáticas distintas.

12 As histórias encenadas foram: Seu Nego, Majestade e suas duas mulheres, Zico, Deusdete, Antonio Carlos e Claudiomiro.

Correção dos andamentos

FILMES, PEÇAS TEATRAIS E ÓPERAS são produtos acabados. Muitas vezes têm apresentações experimentais em que os realizadores testam alternativas, que, bem ou mal recebidas pelo público, afetam o produto inteiro, do começo ao fim. No teatro, o *work in progress* é uma série de apresentações para público selecionado em que os diretores, atores e produtores mostram o trabalho para saber se o resultado foi o esperado. Com base na reação do público, remodelam a peça.

Com filmes, os produtores fazem projeções-teste com a mesma finalidade. Se há problemas narrativos ou de outra ordem, a solução é mais custosa que no teatro, mas ainda assim pode ser executada. Em último caso, chamam os atores e técnicos e filmam o que é preciso.

Com as telenovelas o caso é diferente. As alterações e correções não afetam o produto inteiro. O que já foi exibido não pode mais ser mudado, e somente é possível modificar o andamento das cenas subseqüentes. Praticamente em todas as telenovelas há algum arranjo para satisfazer os espectadores e aumentar os índices de audiência, elevando a importância de alguns personagens, mudando o comportamento de outros ou propondo ações ou acidentes não previstos na sinopse inicial. Essa interação dos autores com os espectadores é peculiar à telenovela, que, como procedimento dramatúrgico regular, altera seu projeto inicial de acordo com o contexto de difusão. A sinopse inicial é um guia de produção alterado à medida que a telenovela é exibida e que as pesquisas e índices chegam à emissora.

Faz parte da modalidade da telenovela trabalhar com as informações e orientações dos espectadores, dos patrocinadores e da emissora[13] e se adaptar a elas. A intervenção em *América* é um exemplo quase didático desse tipo de alteração, que lembra aquela que trouxe Janete Clair para a telenovela *Anastácia*, em 1967.

Com a sofisticação da produção das telenovelas, os diversos núcleos dramáticos passaram a ser desenvolvidos em cidades diferentes e, algumas vezes, até em países distintos. Essa variedade de lugares e o grande número de locações enfrenta o risco considerável de desnortear o espectador. *América* teve esse problema. Quando cortava de uma cena para outra, os espectadores não conseguiam se localizar, o que era agravado pelo fato de todos os personagens falarem português, mesmo em Miami, onde se fala inglês, e no núcleo da Miami dos ilegais, onde se fala muito espanhol e um pouco de inglês. Além disso, os índices de audiência com média entre 40 e 44 pontos não eram os esperados.

Ocorreu então uma intervenção da autora na produção que culminou com a troca do diretor-geral[14] e implicou algumas mudanças. Os efeitos foram mais plásticos que dramáticos e perceptíveis a partir do capítulo 45.

As telenovelas e os demais programas de televisão têm como característica apresentar vinhetas nas aberturas e nos encerramentos, bem como antes e depois dos intervalos comerciais. Em *América*, para situar melhor o espectador, foram adicionadas vinhetas de passagem quando a cena mudava de cidade. Também se aplicaram alterações estéticas na apresentação da telenovela,

13 Talvez por não ter andamento previamente decidido, vários atores costumam dizer que "a telenovela é uma obra aberta". A expressão "obra aberta" usada por eles não tem o mesmo sentido que a "obra aberta" de Umberto Eco.

14 Saiu o diretor-geral Jayme Monjardim e, para substituí-lo, entrou Marcos Schechtman.

deixando o vermelho e o negro e adotando o azul e o branco. Além disso, a trilha sonora mudou e ficou mais leve e alegre.

No entanto, personagens e tramas continuaram com a mesma construção: Sol, a insistente protagonista, seguia em seu infortúnio e em seu interminável sofrimento; Tião ainda tentava falar com o fantasma do pai, e assim todos continuaram como estavam.

A intervenção provocou o resultado esperado: os índices de audiência subiram, em média, para 55 pontos, número extremamente expressivo (recorde, na época, para capítulos regulares).

Essa solução foi tão bem-sucedida que a telenovela transmitida em seguida no mesmo horário, *Belíssima*, já começou utilizando o recurso elaborado por *América*. *Belíssima* também tinha cenas em diversos lugares e países e, portanto, corria o mesmo risco. Assim, a telenovela iniciou usando uma sinalização (vinhetas com imagens-tipo, sem nomes ou palavras), não permitindo que qualquer espectador desavisado se perdesse com a troca de cidades.

Os equipamentos usados pelas telenovelas são moderníssimos, operados pela equipe de programação visual da emissora especializada em computação gráfica e efeitos diversos. A realização é impecável e coerente com o *design* da telenovela. Essas vinhetas são uma versão moderna dos letreiros do cinema mudo; ambos têm exatamente a mesma função narrativa, apenas foram adaptados ao seu tempo e à mídia.

Os acidentes de percurso também alteram o projeto dos autores. Como a telenovela é longa, está sujeita a imprevistos como doenças de atores, crises e desentendimentos que obrigam os escritores a arranjar todas as variáveis (além dos índices de audiência) e a assimilar os problemas não esperados.

Capítulos

A DIVISÃO DE UMA HISTÓRIA em atos, vinda da estrutura teatral e usada pelo cinema clássico, não é unânime nem é tão clara. No caso do filme, há quem o entenda como um ato único[15], que não se presta a divisões internas.

Para Field e seus seguidores, no entanto, o filme está dividido em três atos de tamanhos diferentes. O primeiro, que dura um quarto do tempo ou trinta páginas do roteiro-padrão no formato americano de escrita, apresenta os personagens e configura o problema, sendo chamado pelo autor de "*set up*". O segundo ato, que dura metade do filme ou sessenta páginas do roteiro, trata do desenvolvimento, das complicações, dos confrontos e da evolução da história e dos personagens, sendo chamado de "*confrontation*". Por fim, o terceiro, que dura o quarto final do todo ou as últimas trinta páginas do roteiro, resolve o impasse, restabelece a harmonia perdida e mostra que os personagens mudaram com a história, recebendo o nome de "*resolution*". Thompson (2003, p. 27, reitera 2001) prefere dividir o filme em quatro atos de tamanhos iguais, separando em duas partes o ato central proposto por Field, que trata do desenvolvimento dos conflitos.

A mudança de um ato para outro significa uma transformação da situação interna à história e uma alteração no comportamento dos personagens e de suas ações.

15 "Outros autores não consideram a idéia de atos ou de contagem de páginas por serem muito rígidas ou teatrais. Nicholas Kazan (*Frances, Reversal of Fortune*) explica: 'Eu nunca penso na estrutura de um filme em termos de atos. Para mim, o ato é para autor de teatro e para peça de teatro, porque a audiência se levanta, sai da sala para beber algo, e você precisa de alguma coisa para trazê-la de volta. Num cinema, as regras são diferentes. A audiência não se levanta; você não quer que ela se levante para pegar mais pipoca. Você tem de mantê-la em sua poltrona. Portanto, as regras são bem diferentes, e acho que a ênfase em atos [para filmes] é equivocada'." (Thompson, 2001, p. 24; tradução do autor)

Pouco antes do final do primeiro ato (páginas 25 a 27 de um roteiro-padrão) e pouco antes do final do segundo (páginas 85 a 90), segundo Field, deve haver uma cena decisiva que mude o curso da história. São os chamados "*plot points*", pontos que mudam a história, seja revelando segredos, seja acrescentando informações fundamentais até então desconhecidas, seja provocando situações que contrariem a previsão do espectador. Thompson, mais precisa, chama esses pontos de "*turning points*", que podem ocorrer várias vezes em um filme e não apenas duas. O próprio Field (1985, p. 111), em outro momento, os reconhece, reiterando a idéia de Thompson.

Não se deve esperar que os filmes apresentem essa estrutura precisamente nos minutos indicados pelo paradigma. Trata-se de uma orientação geral, de ordens de grandeza, e não de regras matemáticas.

No teatro, ao final de um ato, as cortinas fecham, o espectador se levanta e, depois, retorna. No cinema não há uma marca tão clara assim. Pode-se dizer que em *O cangaceiro* o primeiro ato (que dura aproximadamente 15 minutos) apresenta o bando do Capitão Galdino Ferreira, mostra suas crueldades e vai até o rapto da professora Olívia. O envolvimento de Teodoro com Olívia até a fuga do acampamento forma o segundo ato (com aproximadamente 25 minutos); o percurso da fuga do casal, a declaração do amor impossível e a perseguição até que Chico Rastreador os encontre compõem o terceiro (aproximadamente 30 minutos); por fim, o quarto (cerca de 20 minutos) é o confronto entre Zé Teodoro e o bando de Galdino, enquanto Olívia volta para a civilização. Pode-se notar que os atos não dividem aritmeticamente a duração do filme, mas refletem mudanças dramáticas na história. Assim, de maneira mais genérica, o filme tende a se dividir em atos.

O grande momento tem como primeiro ato (cerca de 25 minutos) a apresentação do problema de Zeca no dia de seu casamento, suas manobras para conseguir dinheiro e saldar suas contas e o constrangedor desentendimento com o rico amigo de seu pai, que ofereceria a alternativa para a solução do problema; o segundo (cerca de 15 minutos) vai até a preparação do casamento, incluindo o último passeio de bicicleta; já o terceiro (cerca de 22 minutos) mostra o casamento e a festa trágica e culmina com a solitária bebedeira de Zeca no bar; e o quarto (cerca de 20 minutos) traz a cômica briga da família, o fim da festa, o entendimento das famílias e, finalmente, a união de Zeca com sua esposa. Mais importante que dividir o filme rigorosamente em atos é perceber que há momentos dramáticos diferentes que formam unidades, podendo ser chamados de capítulos.

A apresentação, ou primeiro ato (cerca de 18 minutos), de *Carandiru* vai do começo do filme até a solitária caminhada do doutor pelo pátio vazio à noite e sua viagem de metrô; o segundo (cerca de 50 minutos) engloba a vida no presídio e as várias histórias dos presidiários; o terceiro (cerca de 40 minutos), em que as relações são aprofundadas, vai da lavagem da escada até o jogo de futebol; e o quarto (cerca de 35 minutos) mostra o massacre e o pseudodocumentário em que os presidiários comentam a atrocidade. Nesse filme, como nos demais, há diferentes momentos dramáticos que não estão submetidos a um cronômetro ou a um rígido andamento das cenas no tempo.

Cidade de Deus tem como primeiro ato (cerca de 14 minutos) da apresentação dos personagens e do ambiente até Dadinho cometer o assassinato em massa no motel; o segundo ato (cerca de 30 minutos) mostra o destino do trio Cabeleira, Alicate e Marreco, corta para dez anos depois com Busca-Pé e Dadinho já adultos, mostra a boca dos Apês, seguindo até o pai-de-santo fechar o corpo de Dadinho e trocar seu nome para Zé Pequeno; o terceiro ato (cerca de 35 minutos) aborda o predomínio do bando de Zé Pequeno, a importância de Bené no grupo, a humilhação de Zé Galinha e a morte de Bené; o quarto (cerca de 40 minutos) abrange o assassinato da família de Zé Galinha, sua entrada para o grupo de Cenoura, os intermináveis combates entre as duas gangues até que todos morrem no final, deixando um punhado de crianças no comando da violência. Talvez esse filme pudesse ser dividido de outras maneiras, ou em mais capítulos. Mais uma vez, não se trata de uma divisão matemática nem de uma regra que deve ser obedecida cegamente.

Nas telenovelas, a concepção de capítulo é diferente daquela dos demais dramas encenados. Em outras histórias seriadas, como os folhetins ou *As mil e uma noites*, cada capítulo dá andamento à história e, em geral, tem alguma unidade dramática, trata de algum assunto que se desenvolve ou se esgota e obedece ao critério fundamental de manter o suspense no fim para deixar o leitor ansioso pela solução do impasse exposto na última cena. Nas telenovelas, o critério de organização em capítulos obedece a lógicas mais ligadas à produção industrial e à estratégia de programação que às questões dramáticas. As razões industriais submetem as dramáticas nesse caso.

Embora a telenovela sugira um estado de ansiedade permanente, cada capítulo, em tese, tem um ponto de clímax somente no fim, chamado de "gancho", cuja função é garantir o interesse do espectador pelo capítulo do dia seguinte. Esse suspense pode pertencer a qualquer trama de qualquer núcleo da telenovela. Nos filmes, os *plot points* estão localizados um pouco antes do fim dos capítulos, como se, depois de uma grande mudança, a história se acomodasse para fechar o ato. Nas telenovelas esse ponto é rigorosamente a última ação apresentada, não havendo assimilação dos fatos pelos personagens naquele momento. O ponto de virada coincide com o fim do capítulo. Como eles têm tamanho variável, é difícil criar uma lógica para sua composição que não seja a do tempo de duração programado para aquele dia e a do interesse da audiência, porém, por que não mencionar, às vezes é o acaso que ajuda nessa composição.

Ao contrário do que se propaga, as telenovelas não têm capítulos com a mesma duração. Nas quartas-feiras, quando há transmissão de futebol, eles duram 45 minutos[16]. Nos outros dias os capítulos são mais longos, com, em geral, 1 hora e 10 minutos. Se há propaganda política ou se em seguida vem outro programa com grande audiência (*Big Brother*, por exemplo), o capítulo pode chegar a apenas 30 minutos. No Carnaval e em outras festas coletivas, o tempo é também muito reduzido. Quando há Copa do Mundo, Olimpíadas, Jogos Pan-Americanos ou outras competições dessa natureza, o tempo também é outro. Isso significa que a duração dos capítulos é definida por fatores posteriores ao planejamento global da telenovela, bem como à escritura dos textos e às gravações dos capítulos. São dados conjunturais, de veiculação e imediatos que definem o tamanho dos capítulos.

Os capítulos finais não têm duração determinada e também extrapolam qualquer planejamento anterior, com a diferença de que não é a grade de programação que os limita, são eles que alteram a grade de programação. O último capítulo de *Senhora do destino* teve 1 hora e 35 minutos o de *América*; 1 hora e 53 minu-

16 As durações aqui indicadas incluem os *brakes* comerciais.

tos; o de *Belíssima*, 2 horas e 12 minutos; e o de *Paraíso tropical* 1 hora e 44 minutos.

Enquanto os atos no teatro e no cinema são submetidos aos motivos dramáticos internos às tramas e às histórias, nas telenovelas eles são definidos e decididos na edição, em função de forças extradramáticas e extradiegéticas.

Comparando cena a cena capítulos de uma mesma telenovela ou capítulos de telenovelas distintas, não se percebe qualquer ocorrência clara que permita esboçar algum critério ou alguma estrutura na montagem de um capítulo. Não encontramos evidências de que haja comportamento-padrão quando se edita um capítulo. Os assuntos, as tramas e os personagens escalados para cada capítulo são pouco previsíveis e pouco justificáveis. Não há uma estrutura rígida que indique o que ou quem deve aparecer em cada capítulo. O fluxo narrativo segue mais ou menos ao sabor do vento que sopra nas tramas, nos índices de audiência e na sensibilidade dos autores. Essa característica de ausência de motivação dramática na construção de capítulos se constitui em um elemento lúdico, ocasional, típico das telenovelas. Talvez esse caráter pouco previsível seja mais um dos encantos que elas apresentam.

Para terminar um capítulo de telenovela, usa-se o gancho, que, em geral, é um elemento de suspense – uma conversa que chega ao ápice, um encontro surpreendente ou um acidente. Como os capítulos não têm duração previsível nem muito planejada, e como é preciso escrever antes de gravar e veicular, nem sempre os escritores podem criar situações para "enganchar" os espectadores até o próximo capítulo. O gancho passa, então, para o âmbito da direção geral da telenovela e de seus editores. Eles, por sua vez, muitas vezes se valem do sistema de convenções assimilado e conhecido pela audiência e simplesmente transformam um corte comum em um fim de capítulo: fazem uma pausa, sobem a música característica de fim de capítulo, dão um *close* e pronto! Está criado o suspense (sem drama) que deverá manter o espectador interessado até o dia seguinte. Com habilidade, usam o conhecimento e a familiaridade dos espectadores com a telenovela e praticamente criam uma nova sintaxe para terminar os capítulos nessa modalidade narrativa.

Vejamos, como exemplos, o final de dois capítulos de *Belíssima*. O capítulo 21 termina quando Nikos entra na sala da casa de Bia e vê Júlia e André protagonizando um beijo apaixonado. Não há nada muito estranho; todos sabem que Júlia está apaixonada por André e que Nikos ama Júlia sem ser correspondido. O que esperar do capítulo 22? Nada muito grave. Apenas ficamos tristes pelo desapontamento de Nikos.

O final do capítulo 90 é bem diferente. Júlia chega antecipadamente de uma viagem que a deixou extenuada física e psicologicamente. Ela entra em casa em silêncio para não acordar André, põe os brincos sobre a mesa, tira os sapatos e, ao entrar em seu quarto, vê, em sua cama, seu marido dormindo com sua filha. É difícil imaginar uma crise maior que essa. A expectativa geral, muito bem construída pelos diretores da telenovela, é de que o capítulo 91 mostre o desdobramento da traição dupla da qual Júlia foi vítima. Até o dia seguinte, todos torcerão para que ela aja com rigor. As conseqüências desse flagrante serão importantes para a continuação da história, pois implicam o desmascaramento de André, a separação do casal e o rompimento da relação da filha com a mãe.

São dois exemplos de suspense que não têm o mesmo valor dramático. O final do capítulo 21 é uma cena comum, simples, transformada em fim de capítulo de modo artificial. O capítulo 90 termina com um suspense fortíssimo, premeditado, digno de entrar para os anais da história das telenovelas brasileiras. Porém, como há cerca de duzentos suspenses a serem escritos ao longo de uma telenovela, e como os capítulos têm duração variável, é praticamente impossível que os roteiros garantam ganchos impactantes como os do capítulo 90.

Por causa do parcelamento das histórias em blocos diários e das variáveis de exibição já mencionadas, as telenovelas contemporâneas acabam inovando a sintaxe e criando formas específicas de compor, abrir e fechar capítulos, que não são usadas pelas outras histórias seriadas.

Inícios

OS DIRETORES E PRODUTORES cuidam da abertura dos filmes com redobrada atenção. Como antes do começo nada existe, é necessário estabelecer rapidamente as bases e o contexto em que a história transcorrerá. Com base no início, a história deve ser desenvolvida para chegar ao seu final.

Em seu paradigma, Field discorre sobre a importância do começo do filme e, portanto, das primeiras páginas do roteiro. Nesse início, a trama apresenta à platéia os personagens, com seus problemas, seus desejos e o conflito básico que pautará toda a história. Para Vogler, é o começo que mostra a desarmonia que causará toda a história. Esses paradigmas consideram que as tramas têm conflito ou problema único, com base no qual a história se desenvolve até seu clímax e, depois, até a resolução – levando em conta aqui as narrativas com forte influência clássica. As aberturas são importantes porque revelam as pretensões do filme, dão informações que situam o espectador na trama e contextualizam o drama a ser acompanhado. A abertura indica o projeto do filme do qual o espectador participará.

Algumas películas, mesmo com fortes traços clássicos, propositalmente desobedecem a esse acordo velado com a platéia e, valendo-se do hábito do espectador de reconhecer o problema e o protagonista nos primeiros momentos, acabam surpreendendo com o desenrolar da história. *Psicose* (1960), filme dirigido por Alfred Hitchcock, é uma exceção ao modelo. A trama começa com uma panorâmica de Phoenix, em Arizona, e lentamente aproxima-se de uma janela. Há um corte e a câmera continua entrando pela janela até encontrar Sam e Marion, evidentemente a protagonista, na cama, terminando uma relação sexual. Em seguida, mostra o trabalho dela e uma fatalidade: um cliente da imobiliária, que flerta com ela, paga 40 mil dólares em dinheiro por uma casa que decide comprar. O patrão pede que ela deposite essa importância no banco. Ela sai com o dinheiro, vai para sua casa, faz as malas e dirige seu carro por uma estrada. Em seguida, dorme no acostamento e é acordada por um policial, que suspeita dela, mas a libera. Ela troca de carro e, novamente na estrada, segue até o anoitecer, quando chove. Sem alternativa, pára no Motel Bates, que há tempos não recebe qualquer cliente. Marion conversa com Norman, o dono do lugar, lancha com ele e, depois, no chuveiro, é assassinada. Isso acontece aos 47 minutos do filme, que dura 1 hora e 48 minutos. Temos, então, uma protagonista e um problema que são apresentados e desenvolvidos conforme o modelo clássico, porém a moça sai abruptamente da trama antes do meio do filme e o problema passa a ser outro. É uma situação atípica, que burla o acordo tácito com o espectador.

Durante as cenas iniciais de um filme do cinema clássico, o espectador formula suas primeiras impressões sobre a história e sobre os personagens. Essas percepções serão testadas ao longo da narrativa, estabelecendo um jogo de confirmação ou frustração das expectativas da platéia ao longo da história.

O cangaceiro apresenta em sua primeira imagem, após os letreiros, as silhuetas do bando de Galdino cavalgando lentamente contra um céu iluminado pelo sol poente. Na trilha sonora, ouve-se a famosa música *Mulher rendeira*. Em seguida, um homem foge com medo ao ver o bando ao longe e o anuncia a seus colegas. O Coronel Galdino se aproxima, toma o teodolito dos agrimensores do governo e avisa que, no sertão, o governador é ele, que ele não aceitará que a estrada passe por lá, que assim está resolvido e ponto final. O grupo segue, então, para assaltar a cidadezinha próxima, que tem apenas cinco soldados, conforme explica o garoto espião. A intenção desse início é apresentar o bando do Coronel Galdino Ferreira, bem como caracterizar o grupo e o tipo de liderança exercido por ele. Logo depois do saque à cidade e do rapto da professora, o bando vai ao seu esconderijo e, então, o filme traz o conflito de Teodoro, que será trabalhado até os letreiros finais.

O grande momento abre com um plano geral da rua do bairro, com crianças jogando ao fundo e um rapaz aproximando-se da casa simples da família de Zeca. É um cobrador que fala com a mãe do rapaz. Revela que o filho está em situação difícil, sem dinheiro para pagar a festa do seu casamento. Em seguida, a trama apresenta os demais personagens relacionados com o mesmo drama. O filme inteiro será o desenvolvimento e a resolução desse problema.

Carandiru abre com um plano aéreo de uma parte da cidade de São Paulo, um *zoom in* rápido aproxima o presídio, há uma tela escura e aparece o letreiro. Em seguida, uma briga entre presos em um corredor estreito mostra o tipo de desavenças que existe entre eles, bem como suas roupas, seu vocabulário e seus conflitos. Entre os presos estão Moacir, chamado Seu Nego, espécie de líder responsável que ordena a sociedade confinada, e Peixeira, bandido que já matou muita gente e que não tem pressa de sair de lá porque ninguém o espera do lado de fora. O diretor do presídio, Seu Pires, vem com o médico, de modo que a platéia é apresentada aos presos, ao doutor e ao diretor. Com essa abertura, o espectador conhece um pouco da hierarquia interna, os tipos de pessoas que habitam o presídio e os tipos de problemas em que estão envolvidas.

Cidade de Deus abre com *closes* de faca, galinhas, samba, caipirinha e churrasco. Uma galinha foge e a turma de Zé Pequeno corre atrás dela. Ela pára na rua e Busca-Pé, aspirante a fotógrafo, tenta pegá-la. Em uma extremidade da rua, Zé Pequeno e seu bando apontam suas armas para a outra extremidade da rua, onde estão os policiais, que, por sua vez, apontam suas armas para o bando. O aspirante a fotógrafo e a galinha estão no meio dos dois grupos. A câmera dá voltas em torno de Busca-Pé, faz vários movimentos de 360 graus, mostrando os rivais em cada ponta da rua. Em um desses movimentos, o filme volta aos anos 1960 e mostra o mesmo rapaz, agora garoto, na mesma posição da cena anterior, porém em um campo de futebol. O filme retorna no tempo uns dez anos. Esse começo é uma seqüência cronológica do fim do filme, que será contado em *flashback*. A seqüência de abertura opõe o bando de Zé Pequeno à polícia, com Busca-Pé entre os dois. Simbolicamente, essa é a situação da diegese inteira: o conflito dos traficantes com a sociedade, seus inúmeros desdobramentos e complexidades, e Busca-Pé entre os dois opostos, rejeitado pela sociedade fora da favela e rejeitando a vida em bando criminoso proposta pela mesma favela.

Em geral, os filmes mostram logo no começo o ambiente, a trama a ser desenvolvida, os personagens e o assunto. Com freqüência, trata-se de um momento de muita elaboração cinematográfica, com planos antológicos, bem cuidados e extremamente plásticos.

As telenovelas concebem o começo de forma diferente do que é feito pelos filmes. Exibem alguns dramas que provavelmente serão desenvolvidos, mas, em especial, mostram esmero de realização e belas paisagens, às vezes de várias cidades. Os primeiros capítulos têm ritmo dramático muito mais frenético que os capítulos regulares e têm menor número de paradas comerciais que os demais. Situam alguns personagens, apresentam os primeiros nós das tramas, os primeiros romances e os primeiros problemas, sem a preocupação de apontar para o final, mas apenas de enganchar a audiência até o capítulo seguinte. Para facilitar o rápido entendimento do espectador, os personagens se apresentam estereotipadamente, mesmo que nas semanas seguintes ganhem mais sutilezas. São capítulos de produção muito cara e cuidada, como se o *show* e a fidelidade da audiência dependessem do interesse apenas por esses capítulos. Capítulos iniciais têm contado com boa cobertura de mídia e forte divulgação feita pela própria emissora, chegando a bater recordes de audiência. Constituem um assunto à parte, com mais interesse no espetáculo que no drama.

O primeiro capítulo das telenovelas não segue o paradigma usado pelas aberturas dos outros dramas encenados, em que se estabelecem a história, seus conflitos e os protagonistas, por principalmente três motivos. O primeiro é que, em poucas semanas, ninguém mais se lembrará da abertura da telenovela nem dos focos dramáticos mostrados ali. Se os dramas não persistirem nos capítulos seguintes, não serão recordados. Com freqüência, o espectador não se lembra sequer do que viu no mesmo capítulo alguns intervalos comerciais antes. O poder de concentração da audiência televisiva é diferente do espectador do cinema e do teatro, e as falas e ações não requerem a mesma precisão. Quando a história é assistida de uma só vez, é possível lembrar-se de cenas que terão sentido alguns minutos adiante e valorizá-las. O mesmo não ocorre com a telenovela.

O segundo motivo é que muitos personagens aparecem com a trama já adiantada e outros tantos desaparecem, às vezes de modo projetado, às vezes de maneira imprevista. Não se pode mostrar o que não vai acontecer nem apresentar no início personagens que só entrarão meses depois. Tampouco se podem enfatizar personagens que talvez saiam da história.

Alguns personagens são afastados das tramas principais por não terem conquistado a simpatia necessária. Há outros casos de atores que, por motivos extradramáticos, pessoais ou profissionais, precisam ser retirados da trama, como foi o caso de Raul Cortez, que sofria de câncer, em *Senhora do destino* [17]. A desculpa diegética foi ter de visitar um primo em outro local. Raul estava no papel do Barão de Bonsucesso, que se chamava Barão Pedro Correia de Andrade e Couto, e era casado com a Baronesa Laura, chamada de "Baroa" pelo bicheiro galanteador Giovani. Em *América*, o ator Luís Melo, no papel de Ramiro, comparsa de Alex, foi afastado por ter sido requisitado para atuar em outra minissérie, também da TV Globo. Sua saída, aliás, foi pouco elabo-

17 O ator Raul Cortez faleceu em julho de 2006, vítima da mesma doença que o afastou da telenovela.

rada: ele foi assassinado por Alex por um motivo pouco razoável. Em *Belíssima*, entre várias outras ocorrências, o ator e dramaturgo Gianfrancesco Guarnieri, no papel de Peppe, atuava sentado e teve de ser afastado por motivos de saúde[18], complicando o final da telenovela, uma vez que ele revelaria a identidade da filha abandonada por Bia Falcão. Esse tipo de imprevistos, entre outros de natureza diversa, requer dos escritores muita flexibilidade e capacidade de trabalhar com o inesperado e com o não-planejado. É uma característica necessária a esses autores, que os colegas dos demais dramas não precisam ter.

É freqüente um personagem aparecer inesperadamente, como ex-marido, ex-amante, filho bastardo, cúmplice etc. Em *Belíssima*, por exemplo, o delegado Gilberto apareceu somente no quarto final da telenovela (capítulo 177) e foi o responsável pela investigação dos delitos de Bia Falcão e de André. Então, conheceu Vitória e os dois se apaixonaram. Se fosse no teatro ou no cinema, o par de uma das principais protagonistas teria aparecido muito antes, e, assim, teriam sua relação construída. *Paraíso tropical* usou como estratégia narrativa a entrada e a retirada de cena de personagens relevantes: Lúcia entrou na trama no capítulo 29; Gilda, no 67; Lutero, no 90; Alice, no 94; Urbano, no 96; Betina, no 143, entre outros.

O próprio poeta brasileiro Carlos Drummond de Andrade, no entanto, em seu poema "Quadrilha"[19], de 1930, usara a apa-

18 Guarnieri faleceu em 22 de julho de 2006, poucos dias após a exibição do último capítulo, em 7 de julho do mesmo ano.

19 *Quadrilha* (1930)
"João amava Teresa que amava Raimundo
que amava Maria que amava Joaquim que amava Lili
que não amava ninguém.
João foi para os Estados Unidos, Teresa para o convento,
Raimundo morreu de desastre, Maria ficou para tia,
Joaquim suicidou-se e Lili casou com J. Pinto Fernandes,
que não tinha entrado na história."

rição repentina do personagem J. Pinto Fernandes para função importante sem que tivesse sido introduzido no início ou no desenrolar da trama.

O terceiro motivo pelo qual o início das telenovelas não tem função dramática similar à do cinema é o fato de a telenovela não ser muito premeditada; ela é viva e muda conforme os diferentes interesses da emissora, da audiência e dos anunciantes. Os escritores são os guardiões da qualidade e procuram assegurar que as mudanças solicitadas ou impostas adaptem-se à lógica das tramas e dos personagens, quando é possível. Esses caminhos não podem ser previstos no início, de modo que os primeiros capítulos não indicam as principais desarmonias que veremos nos meses seguintes.

Assim, o início estabelece dramas fortes e bons suspenses com continuação previsível para os próximos capítulos, para que o espectador fique bastante interessado. Meses depois, o interesse poderá ter mudado de objeto e o drama inicial poderá ter perdido importância. Os capítulos iniciais das telenovelas são exemplares sem similar nos demais dramas encenados.

Encadeamentos

AS HISTÓRIAS CONTADAS pelo cinema clássico são preferencialmente articuladas por relações de causa e efeito. Uma causa (C1) tem seu correspondente efeito (E1), o qual gera nova situação (C2), que gera outro efeito (E2), e assim sucessivamente. Uma causa e um efeito nunca estão sozinhos, compõem uma cadeia ininterrupta. Essa seqüência mantém o espectador atento e ligado à história.

Para ser eficiente, esse encadeamento deixa de lado fatos que não participam da rede de causas e efeitos. Assim, cenas que não colaboram com essa cadeia são, em princípio, descartadas. Mesmo quando os efeitos e as causas estão fora da ordem linear ou em ordem indireta, são aceitos e compreendidos pelo espectador (Bordwell, 1985, p. 43). Em *Carandiru*, alguns presos contam como e por que foram parar na cadeia, e, embora essas histórias sejam apresentadas pelo filme no tempo presente, ocorreram em momentos do passado anteriores ao início da diegese. O filme mostra, de forma não-linear, relatos de alguns presos que o espectador facilmente organiza cronologicamente. São as causas de suas prisões (efeitos) e explicam também o comportamento e o papel que os personagens assumem na organização interna do presídio.

O espectador se lembra com mais facilidade de uma história quando a relação de causa e efeito é mostrada, quando sua lógica de encadeamento é exposta ou perceptível. A proposição causa–efeito é do gosto da audiência e é de fácil compreensão, o que é fundamental para o cinema que procura platéias numerosas e diversificadas. Outros estudos indicam que a cadeia de causa e efeito e a ordem cronológica persistem mais na memória do espectador que outros detalhes sem causalidade perceptível (Graesser, 2002, p. 234). Para um cinema de massa, ser compreendido e lembrado pela audiência significa sucesso. Cenas fora dessa cadeia de causalidades são irrelevantes, e o espectador tende a esquecê-las ou a se aborrecer com elas.

A relação das causas com seus efeitos, no cinema, não precisa necessariamente ser imediata nem estar linearmente colocada, ou seja, eles podem estar distantes entre si. O espectador é capaz de aproximar um efeito de sua causa desde que sejam expostos claramente e que ele possa se lembrar deles. Por exemplo, em *Cidade de Deus*, cenas revelam que Busca-Pé gostava de fotografia, que era considerado o fotógrafo da turma. Na festa de despedida de Bené, Busca-Pé ganhou de presente do amigo uma máquina fotográfica que Bené recebera como pagamento por uma porção de droga. São ações relacionadas, em que uma delas (o interesse por fotografia) gerou a outra (ganhar a máquina), que ocorre muito tempo depois.

Em geral, os filmes trabalham com um drama principal, facilitando a construção da cadeia causa–efeito, que fica mais explícita e pode ser bem elaborada. Todavia, nas telenovelas, há muitas tramas concomitantes. Nelas, essa cadeia é mais frouxa, e o espectador não precisa, necessariamente, assistir aos efeitos de determinada causa, pois outras tramas lhe são interpostas enquanto o tal efeito não é mostrado. Isso não significa que as telenovelas ignorem essas relações, apenas quer dizer que, quando as querem usar, constroem-nas de forma mais livre. No entanto, pelo fato de as telenovelas serem exibidas em capítulos e terem longa duração, uma causa, para poder ser relacionada com seu efeito, precisa ser repetida muitas vezes, avivando a memória do espectador.

Em dramas que valorizam a causalidade, acidentes e coincidências são aceitos com reservas. O cinema usa esses elementos com muita parcimônia.

A coincidência merece um breve comentário. Para uma narrativa preocupada com causas e efeitos como a do cinema clássico, as coincidências são pouco admiradas. Os manuais de filmografia explicitam que as coincidências não são bem-vindas por serem sintomas de situações pouco elaborados. Os dramaturgos, antigos ou modernos, evitam esse recurso. Bordwell (1985, p. 13) chega a dizer que ele deve ser utilizado somente quando necessário e apenas na situação inicial. Enfim, é compreensível que não se apreciem coincidências, pois a arte da autoria está também na montagem eficiente e criativa da cadeia de relações de causa e efeito.

Nas telenovelas, esses elementos abundam, muitas vezes para remediar um problema extradiegético. Há coincidências que facilitam o entrelaçamento das tramas de diversos núcleos. Elas ajudam a fechar o universo da telenovela, ou seja, permitem que os personagens se relacionem apenas entre si, como se o mundo fora das tramas não existisse.

América tem inúmeras cenas em que algo importante cai do bolso ou da bolsa de alguém e é encontrado por algum personagem, como a passagem para os Estados Unidos que cai do bolso de Sol em Boiadeiros, o dinheiro do adiantamento pago por Glauco e Laerte que cai da bolsa de Geninho quando é atropelado por um cavalo, entre outras situações. A economia com que o cinema usa esses recursos se contrapõe à facilidade e abundância com que as telenovelas os adotam.

As telenovelas apresentam muitas cenas fortuitas, com fatos acidentais que não decorrem dos anteriores e que não reorganizam as ações. Embora sejam articulações "menores" pela ótica de Aristóteles e pouco usadas pelo cinema clássico, as telenovelas as utilizam confortavelmente, e o espectador, principal interessado, convive bem com essas situações, sem exibir qualquer juízo de valores ou de restrição por esse motivo.

Esbarrões, maneira primária de encontro entre pessoas, também são freqüentes nas telenovelas e constituem uma fórmula fácil de colocar dois personagens em contato, sem precisar construir situações dramáticas para isso. Há muitos exemplos na maioria das telenovelas.

Conversas ouvidas por acaso, quando um personagem chega sem ser notado, são também inúmeras nas telenovelas e se constituem numa maneira rápida de a informação chegar a certo personagem, economizando tempo e a criação de situações mais elaboradas para a mesma finalidade.

Além dos já citados, diversos outros tipos de encadeamentos são utilizados nas telenovelas. Com muita freqüência, usa-se a estratégia de dar continuidade a um diálogo na cena seguinte, quase como um jogral. Assim, uma informação que começa a ser passada na cena anterior é continuada ou completada na cena seguinte. Esse é também um recurso usado pelo cinema, mas, pela duração das telenovelas, esse tipo de conexão fica mais evidente. Requer habilidade dos escritores, que, nesse caso, não ficam à mercê da decisão de terceiros (os editores) e determinam a ordem de edição. Além de cuidar de cada linha dramática, eles articulam as cenas em seqüências que devem ser editadas na ordem em que foram escritas, pois cada começo de cena complementa a informação (ou pergunta) lançada na cena imediatamente anterior.

Outra variante da continuação do texto na cena seguinte é aquela parecida com o esquema pergunta–resposta. Uma cena responde a uma pergunta explícita ou latente da anterior. No cinema clássico, essa articulação é chamada "*dialog hook*", conforme Thompson (2003, p. 24), que significa fazer um gancho na última fala de uma cena para que, na primeira fala da cena seguinte, ela seja completada. Também esse modo de articular é bastante utilizado pelas telenovelas. Com ele, é possível ter mais personagens compartilhando a mesma informação, além de dar ao espectador a impressão de maior dinâmica na telenovela, posto que há várias pessoas falando do mesmo assunto. E nem sempre a resposta é dada verbalmente; ela pode ser oferecida ao espectador visualmente.

Antes de cada intervalo comercial há um gancho, e no final de cada capítulo um gancho ainda mais forte e mais elaborado pelos autores, em que algum protagonista deve tomar uma decisão relevante ou optar por alguma alternativa. A solução do impasse ou suspense será mostrada no dia seguinte. Mas, como já foi dito, nem sempre o gancho dramático é possível, e a sintaxe televisiva cuida para transformar um corte comum em um gancho que dure até o próximo capítulo. As forças que interagem na telenovela impedem que os ganchos sejam preparados e estudados como em *As mil e uma noites*, em que a narrativa é interrompida calculadamente no momento exato, para deixar o ouvinte "enganchado" na história.

As telenovelas precisam das repetições, e pode-se dizer que estas fazem parte de sua estratégia narrativa. Segundo Aristóteles, é necessário que uma trama tenha a extensão que a memória possa abranger. É possível nas tramas para o cinema e teatro, mas para a telenovela a situação é oposta. Ela não tem um tamanho que possa ser contido pela memória comum. Para complicar, as histórias continuam no dia seguinte, e a vida do espectador interpõe inúmeras informações e assuntos entre um capítulo e o outro. Até mesmo em um único capítulo, há interrupções em que se podem ver propagandas de outros programas, anúncios de produtos que remetem à realidade extradiegética, assim como a divulgação de modos de vida supostamente ambicionados pelo espectador. Portanto, é razoável que se repitam assuntos, problemas e características dos personagens para ajudar na memorização e compreensão do público.

A extensão da história, cujos detalhes não são retidos, e a repetição permitem que se efetuem mudanças sem que o espectador se dê conta. Nesse caso específico, a repetição com pequenas mudanças produz novas verdades, relativizando, talvez excessivamente, a verdade anterior e a psicologia dos personagens, como se verá mais adiante.

Ações sem drama

EM GERAL, FILMES E PEÇAS DE TEATRO não apresentam cenas sem sentido dramático. Os preciosos minutos na tela e no palco devem ser usados para compor a história com cenas relevantes para a compreensão e para o desenvolvimento do drama. Se há ações que não parecem fundamentais para esse desenrolar, elas devem ser importantes para que o espectador entenda o contexto e conheça os personagens. É o caso da abertura de *O cangaceiro*, na qual se podem conhecer o caráter e o modo de agir do bando do Coronel Galdino Ferreira, o temido e quase imortal cangaceiro da região. A cidade vítima e o saque em si não são importantes para a trama, não geram conseqüências nem são causas de qualquer desenvolvimento subseqüente. No entanto, com base nesses fatos, o espectador passa a conhecer Galdino e sua turma. O rapto da professora, que é fundamental para o filme, acontece durante esse saque, mas é uma unidade isolada e poderia ocorrer sem as cenas anteriores.

No caso das telenovelas, há muitas cenas sem função dramática. Como não há uma direção precisa para o desenvolvimento do drama, muitas tramas evoluem também sem direção objetiva, em um caminho cheio de idas e vindas, embora linear no tempo.

Belíssima, uma amostra entre muitas, tem ações sem drama relevante para a história. Por exemplo, o relacionamento entre Safira e Freddy, um dos ex-maridos e pai de um dos filhos da mulher. Ele, apaixonado, tenta reconquistá-la, e ela, com outros interesses amorosos (Takae e, depois, Pascoal), controla-o, mantendo-o ora mais perto, ora mais afastado. Não há qualquer desenvolvimento dessa relação e de suas ações até a segunda metade da novela. No entanto, no capítulo 124, Safira precisa pedir dinheiro emprestado a Freddy para pagar a hipoteca da casa em que a família mora. Em troca do dinheiro, Freddy propõe a reconciliação, e a ex-mulher se vê obrigada a aceitar. Seguem para a cerimônia. Porém o casal desejado pela audiência (e talvez pelos autores) não é Safira e Freddy, mas Safira e Pascoal. Para evitar o casamento, arma-se uma situação de comédia: a esnobe mãe dele, Dona Ester, que é explicitamente contra a união, contrata bandidos (cômicos e estereotipados), que seqüestram Safira para impedir a cerimônia. Ao conduzi-la ao cativeiro, os bandidos são interceptados pelos mais cômicos ainda Jamanta e Pascoal, fantasiados de bandidos. Eles salvam a vítima, trazem todos para a festa que aguardava a noiva e desmascaram Dona Ester. Com o escândalo, Safira sente-se livre da pressão de Freddy e do filho, desiste do casamento e fica desimpedida novamente para voltar para Pascoal.

Mesmo não evoluindo, muitas tramas mantêm o interesse do espectador em decorrência das ações que chamam sua atenção, com situações que seriam dispensáveis nos demais dramas encenados por serem redundantes ou sem conseqüências. No entanto, nas telenovelas, elas surtem efeito, o que indica outro conceito para esse tipo de drama: a evolução da trama é menos importante que a movimentação dos personagens, mesmo que ela traga fatos pouco relevantes. A "avalanche de fatos" característica das telenovelas é mais importante que a qualidade dramática deles. A platéia brasileira se habituou a esse intenso número de ações. A avalanche de fatos é uma das características das narrativas mais modernas, dá ao público a sensação de movimento e atrai interesse pela história a que se assiste.

As telenovelas apresentam outra característica não habitual com relação aos conceitos do cinema clássico. Há ações que projetam conflitos dramáticos que não ocorrem depois, o que, para um filme, seria descartado na edição. São situações plantadas para um possível desdobramento que, por alguma razão, não acontece. Parece ser uma estratégia dos escritores que têm de trabalhar com variáveis extradiegéticas e, portanto, planejam possibilidades. As que ocorrem são conseqüências naturais das cenas anteriores; as que não ocorrem já foram exibidas e ficam como cenas sem conseqüência, que muito provavelmente serão esquecidas pelo espectador. São também ações sem drama.

Em meio a uma infinidade de exemplos, na telenovela *América*, Geninho tira fotos com o celular de seu patrão Laerte na cama com Detinha, uma das beteiras afilhadas de Neuta (capítulo 136). Seria de esperar uma chantagem do empregado ao patrão, posto que não têm qualquer afinidade naquele momento da história. Mas nada decorre dessa ação, nenhuma chantagem, nenhuma conseqüência. Outro caso é quando Laerte conhece May (capítulo 189) e tenta seduzi-la várias vezes (capítulos 190, 191, 192 e seguintes); depois, ele vai a Miami transar com ela (capítulo 198), deixando-a completamente louca. A ação não apresenta qualquer desdobramento, mas seria natural, aceitável e até desejável que ela se apaixonasse por ele e deixasse seu noivo Ed. *Belíssima* também apresenta muitas cenas dessa natureza:

o assassinato do médico Natanael; o telefone celular de Pedro, que fica com André; a conversa a portas fechadas entre Nikos e Murat (que não se suportam); a gravidez e o aborto de Érica; a obsessiva sede de vingança de Érica contra André; a descoberta da traição de Karen por Rebeca. São unidades que, se suprimidas, não fariam falta alguma. Nas versões de exportação das telenovelas, o número de capítulos é reduzido e muitas dessas cenas são excluídas sem prejuízo à história.

Há ainda pausas no drama para *merchandising*, outro tipo de ação sem necessidade dramática. Nesse caso, há forte motivação econômica ou social. *Paraíso tropical*, por exemplo, tem cenas de propaganda de cosméticos, de bancos, de carros, de restaurantes, entre outras. São momentos em que a trama pára com a finalidade de dar espaço ao anunciante. Muitas vezes são cenas constrangedoras, em que, nitidamente, atores ótimos ficam pouco à vontade. Reginaldo Farias, Hugo Carvana, Yoná Magalhães e Débora Duarte bem que se esforçam.

Nessa mesma telenovela, há também *merchandising* social. Ana Luísa e Lucas se mudaram para Boston no capítulo 66 e retornam no 110 para adotar uma criança. É mais uma campanha, entre tantas outras dessa e de outras telenovelas, com nobres propósitos.

O primeiro *merchandising* de que se tem notícia foi em *Beto Rockfeller*, na qual o ator Luiz Gustavo (que interpretava o protagonista Beto) faturava cada vez que ingeria um comprimido para ressaca. Era uma ação pessoal do ator, não da TV Tupi. Hoje todos sabem que o *merchandising* faz parte substancial do financiamento das telenovelas.

Também há paradas no drama para dar recados à audiência, tanto da emissora (quando a telenovela "anuncia" diegeticamente programas do próprio canal) quanto dos autores. Nesse último caso, Silvio de Abreu, autor de *Belíssima*, não resiste e, no capítulo 53, oferece um diálogo memorável entre Bia Falcão e sua secretária Ivete. Bia, ao chegar à sua empresa Belíssima, pergunta à secretária se há recados. Ivete recita uma lista de nomes e se oferece para "estar ligando" para eles. Bia, irritada, proíbe-a de falar dessa maneira. A secretária retruca dizendo que "hoje todos falam assim". Bia, taxativa, afirma: "Não quero ninguém falando no modo gerundiano", e a proíbe definitivamente de usar a construção em gerúndio, desagradável hábito que se generalizou. Todos ficamos gratos a Silvio de Abreu e a Bia Falcão. Porém, embora seja para o bem público evitar o uso equivocado e indiscriminado do gerúndio, nada acrescenta às inúmeras tramas em que Bia se envolve. Em *Paraíso tropical*, no capítulo 90, há uma longa cena em que Daniel faz uma defesa ética do Grupo Cavalcanti e ataca o "caixa dois"; Lutero entende essa honestidade como ingenuidade e diz que "esses pudores são coisa de colégio e moças". A cena não acrescenta nada ao drama, pois já se sabe que Lutero não tem escrúpulos, mas levanta uma discussão socialmente necessária.

Nas telenovelas, esses muitos tipos de cenas sem compromisso com o drama são aceitos e muitas vezes desejados pelos espectadores. Essa é mais uma alteração que a telenovela propõe à história do drama e que é bem recebida pela audiência televisiva. Sabemos que os espectadores aceitam programas de péssima qualidade ética e estética, mas as telenovelas das várias emissoras, que, em geral, têm bom padrão, não se deixaram influenciar por eles. Com nível acima daqueles programas sofríveis, elas são bem-aceitas pelos espectadores e apresentam elevado índice de audiência. Trata-se de um novo tipo de discurso, repleto de ações com sentido dramático ou sem ele, em uma nova mídia. Talvez a opinião da platéia possa validar as qualidades dramáticas da telenovela, com bases diferentes daquelas usadas pelo modelo clássico e pelo teatro, mas com raízes populares e ampla aceitação da massa.

Finais

O FINAL DOS FILMES É O DESTINO do caminho percorrido pela trama; portanto, para cada história haverá um final diferente. Os paradigmas mencionados fazem indicações sobre o final dos filmes, em que, comumente, o clímax é atingido[20], resolve-se o conflito, o protagonista recebe a recompensa, o romance chega a um novo equilíbrio e pode-se ter um "... e viveram felizes para sempre". Tanto Field como Vogler apontam finais construídos e preparados desde o começo dos filmes. O trajeto do herói conduz a um final conclusivo, em geral compensador; pode ser surpreendente, inesperado, lógico, acidental, mas, na cinematografia clássica, ele sempre é preparado ao longo da trama. Essa urdidura implica oferecer pistas ou indícios muitas vezes discretos e despercebidos, até que, ao chegar ao desenlace da história, eles são entendidos e se configuram quase como uma previsão. Faz parte da construção do filme ou da peça ter situações que, com o final, passem a fazer sentido.

20 Uma distinção entre clímax e desenlace: "No se confunda el *climax*, que es el apogeo de la tensión dramática, la explosión de la máquina infernal, con el *desenlace*, que, clasicamente, es un reajuste: una vuelta al orden, o a la naturaleza." (Carrière, 1995, p. 148)

Assim, cenas ou detalhes que aparentemente nada significam quando vistos adquirem importância com o desenrolar da história. Quando são tramas de suspense ou sobre crimes, costuma-se esconder os prováveis autores dos delitos ou violações, de forma que o drama é construído conhecendo-se (e escondendo-se) a revelação final. Os estúdios produtores, os diretores e às vezes até os atores interferem nos finais e os pendem para o lado de seus interesses. Isso ocorre no cinema e no teatro mais discretamente que na televisão e acontece durante o processo de feitura da obra, quando ainda há tempo para contemplar mudanças no roteiro do filme ou na montagem da peça e adaptar a história a essas demandas mantendo a qualidade dramática.

O grande momento termina com uma poética desistência da lua-de-mel pela noiva, que percebe a situação econômica do já marido Zeca e seu esforço para passarem dois dias em Santos. Solidária, com a vida pela frente, ela devolve as passagens, retoma o dinheiro e ambos tomam o bonde com destino a um futuro cheio de dificuldades e de amor.

O cangaceiro termina com a previsível libertação de Olívia das mãos do Coronel Galdino Ferreira e com a não tão previsível morte de Teodoro, cujo conflito entre o amor a Olívia, o amor à terra e a fidelidade ao passado faz dessa a única solução plausível. Teodoro morre mimetizado com a terra-mãe.

No amplo espectro de filmes contemporâneos, os finais seguem em geral as mesmas orientações, principalmente em filmes próximos ou herdeiros da tradição de narrativa clássica.

Dos filmes aqui escolhidos como exemplares para ilustração, *Carandiru* merece comentários específicos. O filme termina com forte ruptura em seu encadeamento. A invasão do presídio, horrenda em si, é um fato absolutamente estranho à história, não é construído nem preparado como drama e não conclui o desenvolvimento da trama. Sabe-se que invasões como a ocorrida no presídio são feitas de surpresa, mas, já que as histórias são contadas depois dos fatos, as tramas poderiam preparar e dar pistas de que algo desse tipo poderia acontecer, aumentando a tensão e criando situações sem saída que enriqueceriam o drama. Os presos não sabem nem podem saber da invasão, mas algumas pessoas detêm essa informação e poderiam criar situações que dessem indícios ao espectador. Além de divorciado do resto do filme, o final é discutível por usar depoimentos dos personagens como se fossem testemunhas reais, emprestando um recurso consagrado pelos documentários e pelo jornalismo para retratar testemunhas. Os atores do filme prestam depoimentos como presos e interpretam personagens inventados pelos roteiristas, personagens esses que foram condensados pelo autor do livro original, doutor Drauzio Varella, que, no prefácio de sua obra, alega motivos éticos para não atribuir os fatos aos personagens. Portanto, no livro os personagens já são inventados. O filme, como é freqüente nas ficções, sintetiza acontecimentos, cria outros (Sem Chance pede a mão de Ladi Di para seus pais, Peixeira se converte à religião, há os balões de Seu Chico), adapta ações (quem tem estresse, no livro, é Bolacha, no filme é Seu Nego), funde personagens (Seu Chico e Jeremias são apenas Seu Chico, Sem Chance tem falas de outro assistente do doutor, o preso Lupércio), monta parcerias não previstas no livro (Claudiomiro agia sozinho; ele se torna parceiro de Antonio Carlos, que era parceiro de Miguel). Não parece razoável que uma obra tão bem realizada cometa o deslize de usar documentário-verdade com personagens fictícios. O final com pseudodepoimentos configura uma discutível manipulação do espectador em um filme que tem raras qualidades narrativas e de sintaxe e que poderia encantar a platéia sem o uso de recursos inapropriados.

Cidade de Deus termina de modo trágico, como se poderia esperar. Um grupo de crianças recém-saídas das fraldas está armado até os dentes e deve dominar o crime anárquico na favela. É uma garotada pronta para liquidar qualquer pessoa que lhes pergunte as horas. Os personagens têm finais funestos, com exceção do narrador, Busca-Pé, que desde o início se recusou a participar dos crimes e a usar armas. Durante o filme, ele teve cômicas chances de ser assaltante, mas ficou amigo das possíveis vítimas e fumou maconha amistosamente com um futuro assaltado, enrolando a droga em um guardanapo que tinha o telefone de uma garota bonita e disponível, que ele também havia tentado assaltar horas antes e que acabou virando sua paquera.

Os filmes clássicos, em geral, têm finais elaborados e construídos desde o primeiro fotograma. As cenas são montadas para que se chegue a determinado final, que revela a ideologia dos autores e indica suas posições psicológicas, políticas e existenciais.

Nas telenovelas os finais são mais peculiares. Não são, como sabemos, planejados desde o começo. O capítulo final pode guardar uma grande revelação ou a solução de algumas tramas que se arrastam há meses e que podem não ter sido planejadas desde o início; pode ostentar uma situação debochada, principalmente nas telenovelas de horários mais vespertinos; e pode ser inesperado, com ênfase em tramas que ganharam força meses depois do começo. Como são várias as tramas, serão vários os finais, portanto não se pode falar em um único final para uma telenovela; há um final para cada uma das tramas, e nem sempre eles são do mesmo estilo ou têm a mesma previsibilidade.

Normalmente, os finais são elaborados um pouco antes do término da telenovela, pois são produto de pressões dos anunciantes, da emissora, da expectativa do público e do interesse dos autores em contemplar essa expectativa e de dar sua opinião sobre algum assunto, por exemplo, se o crime compensa.

O último capítulo das telenovelas é transmitido em uma sexta-feira e repetido no sábado, por uma conveniência da estratégia de programação.

O capítulo final das telenovelas das oito (21 horas) não tem duração regular e varia de exemplar para exemplar. Sempre é longo e tem a obrigação de finalizar o maior número possível de tramas. Dramaticamente, o último capítulo é menos importante, pois nem sempre apresenta as soluções construídas ao longo dos capítulos anteriores. Nas telenovelas, parece valer mais o trajeto, as manobras do percurso que o final propriamente dito. Com muita freqüência, não há tempo nem alternativas plausíveis para a construção coerente da solução proposta ou imposta pelas pressões. Como, no momento final, muitas tramas, romances e complicações precisam ser resolvidos, eles acabam sendo menos elaborados. Mas, a essa altura, o que importa é acomodar os diversos interesses, agradar ou surpreender a audiência e não mais mantê-la ligada à história que termina. Muitos personagens e tramas ficam largados pelo caminho, principalmente quando o último capítulo deve revelar um grande mistério, como na famosa *Vale tudo* (1988), de Gilberto Braga, Agnaldo Silva e Leonor Bassères; o final da telenovela deveria revelar "quem matou Odete Roitman", frase lembrada e repetida pelos espectadores até hoje. Isso também ocorre quando a telenovela deve resolver um grande drama, como em *Senhora do destino*, que tinha de dar um fim à malvada Nazaré, resgatar a filha de Isabel/Lindalva e neta de Maria do Carmo e, claro, casar muitos protagonistas e lhes dar finais felizes.

Belíssima guardou para o final alguns desfechos e algumas revelações fundamentais. Em uma reportagem publicada no dia da transmissão do último capítulo, o autor Silvio de Abreu afirmou ter preparado cinco finais. A matéria jornalística faz parte do espetáculo, é parte do sistema de comunicação relativo à telenovela e certamente tem seus efeitos sobre o público. O cinema mais moderno (e não clássico) muitas vezes oferece a possibilidade de haver vários desfechos em filmes narrados de maneira não-linear, ou de finais abertos, vagos. Para as telenovelas, a possibilidade de vários finais aumenta o interesse pelo capítulo, fazendo assim crescer a audiência. *Belíssima* revelou no último capítulo quem era a filha de Bia Falcão com Murat e quem era o vilão telefônico da história. Muito suspense para o último momento, assim como o tradicional "quem fica com quem", em geral contemplando a expectativa dos espectadores.

Outras telenovelas têm final surpreendente, como *O bem-amado*. No último capítulo, o matador Zeca Diabo (Lima Duarte), com muitos assassinatos em seu currículo e uma promessa de não matar mais, retorna ao crime, que é o primeiro na telenovela: mata o prefeito Odorico Paraguaçu, e, finalmente, o cemitério da legendária cidade de Sucupira pode ser inaugurado.

A telenovela é um drama atípico em que muitas forças atuam principalmente no final, de modo que não pode ser construído desde o começo, como a ópera, o filme ou a peça de teatro. O último capítulo das telenovelas acomoda as pressões dos vários interessados e dá satisfações à audiência, nem sempre com ações dramaticamente construídas, ao contrário do cinema e do teatro, que desde o começo preparam o final. É uma característica narrativa das telenovelas. Não se trata de descaso com o espectador ou com as histórias que contam, e sim de uma característica que valoriza mais o percurso que a construção do momento final. As leituras ideológicas das telenovelas que se apóiam no último capítulo são, em geral, temerárias. Por não serem previamente definidos nem dramaticamente elaborados, os últimos momentos não correspondem necessariamente à realidade dos personagens, dos autores ou da emissora.

3

PERSONAGENS

AS AÇÕES SÃO MAIS IMPORTANTES para os dramas encenados que para os textos escritos. Nestes, ingredientes da subjetividade do personagem e de seu mundo interior podem ser descritos, enquanto no teatro, no cinema ou na TV são de difícil exposição. Nos dramas encenados, o personagem vive na trama, e ela só existe por causa dos personagens, ensina Candido (1976, p. 53). As raras encenações sem personagens são experimentais e têm formatos pouco acessíveis (peças de 30 segundos de Samuel Beckett, por exemplo). Na maioria das vezes, as histórias são contadas, compostas e constituídas pelas ações dos personagens. Prado (1976, p. 84) chega a dizer que nada existe no teatro a não ser por meio do personagem, afirmação que pode ser estendida aos filmes de ficção e às telenovelas.

Por outro lado, mesmo juntos no grupo audiovisual, o cinema e a TV diferem entre si com relação à função e ao comportamento dos personagens, pelas características conhecidas de cada meio, pelo diferente estado de espírito e de atenção de seu espectador e pela necessidade de entretê-lo.

Protagonistas

OS PARADIGMAS QUE REFERENCIAM este estudo vêem o protagonista como o principal motor das histórias. Field, em muitas páginas, discorre sobre a criação e a preparação de um personagem e sobre o modo de fazer a história girar ao redor dele. Vogler organiza a história em função do herói. Por herói pode-se entender o personagem principal, seja ele um homem ou uma mulher comum, seja uma pessoa com poderes especiais ou sobrenaturais. Sua proposta de estrutura também se apóia integralmente na ação do protagonista.

No cinema clássico, o protagonista é o personagem em torno do qual se organizam as ações; com base nele, muitas delas são desencadeadas. Ele conduz a trama, sofre com os adversários, vence os duelos e restabelece a harmonia perdida. É o amante apaixonado, o justiceiro, o plebeu que recebe a "mão da donzela" ao salvar sua comunidade dos males. O protagonista pode ser um herói, um trapalhão, uma mulher sensual, um bandido, um solitário ou uma executiva. Algumas vezes é plural: um bando de malfeitores, um time de espiãs, um exército, uma dupla de policiais, um grupo de amigas solteiras etc. É em torno do protagonista que a história gravita; ele é a referência que orienta a trama e que cadencia o ritmo da história.

Além das funções dramáticas, o protagonista tem papel especial nos dramas encenados: é o instrumento pelo qual o espectador se identifica com a história. Graesser (2002, p. 253) e outros estudiosos explicam que a identificação da audiência com os personagens pode ocorrer por várias razões, entre elas: o espectador pode se achar similar ao personagem da história; pode ter admiração por seu caráter, por sua beleza, coragem, sensibilidade ou timidez; ou pode ter passado por experiências parecidas com as que vê na tela ou no palco. O protagonista e seu par são os personagens que seduzem os espectadores, que prendem os egos da platéia para que continuem atentos às histórias. É o caso de Teodoro, personagem principal de *O cangaceiro*, que leva Olívia, sua amada, para a segurança da cidade enquanto o chefe do bando, Coronel Galdino Ferreira, em termos dramáticos posicionado como seu opositor, vem no seu encalço. A maioria das cenas mostra Teodoro. A trama gira em torno dele e de seu objetivo, e é com ele que a platéia se identifica. Sua morte no final, para garantir a segurança da professora Olívia, é um gesto de amor a ela. É também de amor à terra da qual nunca se desligou e da qual talvez não quisesse se desligar. É um gesto de bravura e de heroísmo, o que não conforta a platéia, que provavelmente preferisse vê-lo com sua amada "felizes para sempre". Em *O grande momento*, o espectador se identifica com Zeca, sofre com ele e torce para que ele alcance seu objetivo romântico de ter um casamento com fotos, flores, roupa bonita, bebidas etc.

Os protagonistas são humanizados e têm contradições como as que o espectador tem. Em um drama teatral ou cinematográfico, praticamente não há protagonista monotônico, que não evolua, que não tenha sentimentos ou dúvidas. Essa evolução é resultado do processo que leva o personagem ao seu objetivo. Teodoro, em *O cangaceiro*, começa como o segundo membro mais importante do bando depois do Coronel, mas passa a ser o principal rebelde e opositor. Descobre em si o lado amoroso ao se apaixonar pela professora, a ponto de trocar sua vida pelo bem-estar dela. Teodoro abandona sua posi de destaque no bando porque seu objetivo é livrar Olívia da prisão e levá-la a um lugar seguro onde possa viver bem e, talvez, com ele.

O protagonista tem história própria e é escrito e preparado com profundidade. Teodoro, em uma das cenas de sua fuga, conta sua história pessoal a Olívia, reforçando seus traços psicológicos antes latentes em suas ações, que, revelados, ajudam a justificar sua trajetória e o desfecho do filme. Zeca, em *O grande momento*, também é consistente. De rapaz tímido e resignado, que precisa pegar escondido a poupança da família e que explode uma vez ou outra, torna-se um homem seguro que encara seus problemas, que pára de esconder suas limitações e revela sua situação econômica para sua mulher. O filme mostra o rito de passagem de um personagem da sociedade urbana e operária da época.

As telenovelas, como sabemos, apresentam diversas tramas que se desenvolvem paralela e interligadamente. É natural que cada uma delas tenha um personagem principal, o que, no conjunto da obra, significa ter vários protagonistas, inovando o princípio tradicional das histórias de apresentar apenas um (ou um grupo solidário). Assim, as ações são desencadeadas por vários personagens, e não apenas por um deles.

Com tantos personagens principais, as possibilidades de identificação e de escolha pelo espectador aumentam. Crescem as chances de a platéia ver suas preferências contempladas e de ter várias predileções em uma história composta por muitas tramas.

Quando *América* foi lançada, as revistas especializadas em fofocas e em assuntos relativos a telenovelas exibiram uma discrepância curiosa: todas disseram que a telenovela teria vários personagens principais, mas nenhuma delas forneceu o mesmo número[21]. Mesmo considerando alguns problemas técnicos de edição dessas publicações, como o espaço interno e a necessidade de síntese, o *release* que receberam foi o mesmo e o público para o qual falam também é o mesmo, o que minimizaria essas eventuais diferenças. A variação de números provavelmente vem da falta de clareza quanto ao conceito de personagem principal e quanto ao que cada papel representa ou poderá representar na telenovela.

A primeira página do *site* de *Paraíso tropical* destacava vários atores renomados que seriam protagonistas, mas que apareceram em cena apenas em alguns capítulos, entre eles Suzana Vieira (Amélia), Maria Fernanda Cândido (Fabiana) e Renée de Vielmond (Ana Luísa Cavalcanti).

Por motivos promocionais, as telenovelas apontam um protagonista ou uma dupla deles, mas, ao desenrolar das várias tramas, os personagens principais se alternam, à medida que a audiência prefere uns ou outros. Do ponto de vista comercial, é sempre mais fácil personalizar e vender um personagem que um grupo grande. É mais fácil lembrar-se de um ou de poucos personagens que de uma infinidade deles. Se a propaganda mostrar

21 A revista *Minha novela* indicou 29 personagens principais; *Viva! Mais*, apenas 10; *Chega mais!*, 27; e *Tititi*, 39.

muitos, haverá dispersão de esforços para compreender e conseqüente divisão da atenção da audiência, tornando a propaganda menos eficaz.

No caso de *América*, os protagonistas não foram aqueles anunciados pela telenovela nem estiveram presentes nos momentos mais importantes. Tião teve a oportunidade de participar de cenas marcantes e foi um dos personagens principais. Mas a personagem Sol, que no projeto seria a parceira do peão, fracassou e poderia ter sido excluída da telenovela não fosse o fato de ter sido anunciada como personagem principal e de a atriz ser considerada uma das principais do elenco. O par não foi protagonista e Deborah Secco interpretou uma personagem inconsistente e sem empatia[22]. É um exemplo de personagem mal composto e também do que Pallottini (1998, p. 140) chama de má escalação de elenco. Mesmo sem os protagonistas anunciados, a telenovela teve excelente audiência, graças à habilidade dos escritores, que elevaram outros personagens à posição de protagonistas. Foram vários os focos de identificação da platéia, como Carreirinha, Flor, Lurdinha, Islene, Feitosa, Seu Gomes, Vera, Jatobá, Raíssa, Miss Jane, Jota, Consuelo e tantos outros.

É um pouco diferente o caso da organização dramática da telenovela *Belíssima*, em que todos os personagens estavam direta ou indiretamente afetados pelas ações de Bia Falcão, em uma posição típica de protagonista do cinema clássico. Com sua morte, desmontou-se essa estrutura, e a telenovela adotou a forma

22 Além de todos os problemas dramáticos da construção de Sol, Deborah Secco não se entendeu com a personagem e ficou aquém dos demais colegas, o que aumentava o contraste e evidenciava ainda mais a fragilidade da personagem. Na mesma novela, Zé Higino, um personagem secundário, ocupou muito espaço graças à interpretação de Francisco Cuoco; Lurdinha, interpretada pela iniciante Cleo Pires, ganhou muita atenção; Dinho (Murilo Rosa) e Neuta (Eliane Giardini) passaram do segundo plano para o primeiro graças ao romance sensual.

habitual, em que vários são os personagens principais e várias tramas se desenvolvem paralelamente. Quando voltou de sua suposta "morte", Bia Falcão não organizava mais os acontecimentos à sua volta e ficou em posição semelhante à dos demais personagens principais.

O bem-amado, apesar das tramas paralelas, tinha o prefeito como personagem principal. Odorico Paraguaçu era o protagonista, cuja relevância das ações e tempo em tela eram bem superiores aos de qualquer outro personagem. No entanto, essa telenovela é dos anos 1970, quando a organização dramática era um pouco diferente da que temos agora, na primeira década do século XXI. A segunda versão de *Roque Santeiro* (1985), doze anos mais velha que *O bem-amado* e também do autor Dias Gomes, já não apresentou protagonista único. O protagonismo foi diluído ente vários personagens, como o próprio Roque Santeiro, a Viúva Porcina, Sinhozinho Malta, Zé das Medalhas, Padre Hipólito e Roberto Mathias.

O tempo de tela e o número de falas e de *closes*, critérios aparentemente pautados pela estatística e pela vaidade dos atores, são também indicadores de protagonismo. Quem aparece mais é mais visto e, portanto, precisa ter mais ações. No caso das telenovelas, esse critério numérico é uma verdade relativa, porque vários personagens aparecem muito em certos períodos e, em períodos seguintes, têm menos cenas. Os que ficam mais tempo em cena na TV durante determinado período são aqueles cujas tramas mais agradam à audiência naquele instante ou que estão envolvidos em situações cujos momentos são decisivos.

Há protagonistas que entram nas histórias perto do final da telenovela e que, por essa razão, têm menos tempo em tela no cômputo da telenovela inteira, mas, mesmo assim, seu papel é fundamental. Outros desaparecem e, por isso, ficam menos tempo expostos aos olhares dos espectadores, porém sem deixar de ser personagens essenciais enquanto estão na trama.

Nas telenovelas, a sutileza dos personagens tende a ser massacrada pela superexposição, e alguns protagonistas (e personagens secundários) sofrem por terem de falar sempre as mesmas coisas, pela obrigação de não deixarem nada subentendido, de se revelar sempre e de mostrar constantemente seu caráter tipificado, exatamente como Brooks (1995, p. 4) explica com relação ao melodrama. O grande número de capítulos ou, se preferirmos, o número total de horas que uma telenovela leva para contar a história, mesmo com várias linhas dramáticas, impõe certo grau de redundância aos personagens. Em mais de 130 horas de uma telenovela de duzentos capítulos não há criatividade que contemple tantos diálogos sensíveis ou inusitados. As redundâncias também servem para relembrar o espectador e reforçar os objetivos de cada personagem. Tião, de *América*, por exemplo, vive falando com o fantasma do pai (que não responde, embora seja visto pela câmera) e repetindo seus desejos de construir uma casa nas terras da família. Muitos capítulos depois, o fantasma do pai diminui suas aparições e é substituído pelo boi Bandido, um animal transcendental que responde às perguntas de Tião. Entre o fantasma do pai e o boi, temos seres sobrenaturais cerca de três vezes por semana. Como comparação, o espectro do pai de Hamlet (de *Hamlet*, peça teatral de Shakespeare, escrita aproximadamente entre 1600 e 1602) aparece na cena 1 do primeiro ato para os soldados e na cena 5 também do primeiro ato para falar com seu filho. Depois disso, jamais retorna. A extenuante repetição ajuda no entendimento dos espectadores que passam a seguir a telenovela após seu começo ou que, como ocorre com freqüência, perdem capítulos. Tião repete praticamente o mesmo texto nos mais de duzentos capítulos. Como seria, por exemplo, o infortúnio de Hamlet se Shakespeare tivesse de mantê-lo por mais de 130 horas? Ou a agonia do Rei Lear se durasse duzentos capítulos? A genialidade desse autor é indiscutível, e seus personagens estão entre os mais dramáticos, complexos e bem estruturados da história do drama mundial, mas... e se estivessem em uma telenovela? Eles seriam melodramáticos em vez de exemplarmente dramáticos? A repetição por meses de traços psicológicos fica banalizada, tende a reduzir a complexidade do personagem e a torná-lo melodramático. Pallottini (1998, p. 66) salienta que o público espectador de telenovelas prefere personagens redundantes e menos complexos.

Nas telenovelas vemos, com grande freqüência, personagens – inclusive alguns protagonistas – tipificados, imutáveis, absolutos, permanente e unicamente bonzinhos, malvados, ingênuos, trapaceiros, esnobes, românticos, sofredores, autoritários etc., como se fossem uma música de uma só nota. Entre outros, Odorico Paraguaçu (para deleite da audiência) se repete, bem como Beto Rockfeller, Viúva Porcina, Tião e Bia Falcão.

Os traços repetitivos e simplificados remetem a estereótipos, tipos que são caricaturais e que são conhecidos e entendidos rapidamente por sinais simples, marcantes e sintéticos. Vilches (1993, p. 96) comenta o caráter reducionista do estereótipo, ao qual se pode acrescentar a vantagem de permitir melhor comunicação de um enunciado e, do ponto de vista do espectador, maior facilidade para entender, classificar e arquivar/memorizar quem é o personagem, o que faz e o que pretende.

Os autores criam os personagens de maneira pessoal e variada. Field (1985, p. 23) afirma que, antes de começar a escrever uma história, o roteirista deve saber exatamente como são os personagens. Entretanto, são freqüentes os casos em que os personagens, uma vez criados e delineados, escrevem-se a si mesmos, quase à revelia do autor/criador. Embora pareça racionalmente um disparate, estando o personagem criado, ele se torna um ser virtual com coerência e lógica particulares e tende a induzir algumas ações e a evitar outras conforme sua composição psicológica particular. Curiosamente, os experimentos em inteligência artificial com jogos eletrônicos, que são programados por seres humanos, têm personagens que aprendem com suas experiências e que, posteriormente, são capazes de realizar atos não programados inicialmente.

O conceito de protagonista em alguns filmes contemporâneos parece alterado com relação à sua configuração no cinema clássico. Há filmes que décadas atrás já trabalharam com a estrutura de mosaico quando pretendiam criar um painel ou mostrar um contexto. Porém é forte a impressão de que a telenovela influenciou a organização de alguns filmes contemporâneos, por exemplo, no que diz respeito à função narrativa de alguns personagens e dos protagonistas.

Quem é o protagonista de *Carandiru*? Quem é o protagonista de *Cidade de Deus*? Por acaso, ambos têm como narrador um personagem discreto, que observa os fatos e os relata conforme seu ponto de vista. Mas isso não os qualifica como personagens principais únicos. Em *Carandiru* não há nitidamente um protagonista ou grupo de protagonistas explícitos. Pode-se pensar no baixinho

Sem Chance, que de preso comum passa a influente ajudante do doutor e casa-se com um travesti um metro mais alto; em Seu Nego, líder interno que conduz a trama nos momentos decisivos; em Zico, que começa saudável e se afunda nas drogas até ser assassinado; ou em Majestade, que consegue fazer suas duas mulheres conviverem bem.

Em *Cidade de Deus* há vários personagens fortes, candidatos a protagonistas: Zé Pequeno, Bené, Galinha e o próprio Busca-Pé (o narrador que se torna personagem com o desenvolvimento do filme). Zé Pequeno, anunciado desde o começo como o garoto mais cruel, deveria ser o protagonista. No entanto, ele se mantém cruel e sanguinário até o fim, curiosamente como o Coronel Galdino (*O cangaceiro*). Zé Pequeno é o personagem que mais aparece, mas ele praticamente não muda, e protagonistas evoluem, modificam-se. Bené tem grande ascendência sobre a história, muda seu comportamento e o dos demais à sua volta, é capaz de permear todos os guetos da favela. Por isso, chamá-lo de protagonista faz sentido. Galinha, que aparece no meio do filme (característica de telenovela), aliando-se a Cenoura, consegue alterar a (des)ordem vigente. Mudar a ordem desfavorável é característica do herói protagonista. Busca-Pé, um rapaz que recusa a violência, consegue sobreviver ao caos e à agressividade do lugar, ganha a profissão dos seus sonhos e a cama de uma jornalista para sua primeira relação sexual. Sobreviver aos perigos também é traço de protagonismo, assim como receber dádivas e prêmios. Enfim, não é tão relevante saber exatamente quem é o protagonista, porque o filme não precisa destacar um como o personagem principal. A história é clara, convincente, hipnotizante e convive bem com vários personagens fundamentais.

A familiaridade da audiência com as telenovelas ajuda no entendimento de histórias com muitos protagonistas. O espectador assimila e compreende bem várias tramas ao mesmo tempo e, com elas, seus vários personagens principais.

Outros personagens

ALÉM DOS PRINCIPAIS, outros personagens, segundo os paradigmas, são necessários às histórias. Não há conflitos sem que haja parte oposta com interesse diferente. Além de oponentes, um drama precisa de outros personagens, como cúmplices, amantes, mensageiros, sábios, traidores, feiticeiros, seres superiores, fantasmas, motoristas, médicos, aliados, empregados, sócios, comparsas, entre uma infinidade de alternativas. Eles gravitam ao redor dos protagonistas e ajudam a compor as histórias.

A hierarquia dos personagens secundários se define pela direção das ações dos protagonistas, e não pela proximidade física ou grau de parentesco. Conforme esse critério, o oponente é um personagem importantíssimo, pois, se está mesmo mais distante dos desejos do protagonista, é a ele que se dirigem as ações do primeiro, e dele vêm as ações que atingem o protagonista. É o segundo pólo, aquele que se contrapõe ao primeiro e que, por contraste, ajuda a defini-lo e a mostrar suas características psicológicas e comportamentais. A intensidade da relação protagonista–opositor, em geral, é maior que aquela entre aliados. O efeito dessas ações também é mais dramático que a entre cúmplices, embora os aliados estejam fisicamente mais próximos do protagonista que seus adversários.

Vários personagens são pouco desenvolvidos porque têm função específica nas tramas, e não se espera no projeto dramático que evoluam. São personagens que operacionalmente servem para que os demais atuem. Eles amparam as ações dos demais.

Para compor com os personagens principais, os personagens secundários podem ser menos elaborados. Em geral, esgotam seu caráter em algumas poucas ações. Desde o começo até a cena final são praticamente iguais. Galdino (*O cangaceiro*) quase não muda, permanece o filme inteiro mostrando sua crueldade e liderança. O pai e a mãe de Zeca (*O grande momento*) tampouco modificam-se, sendo sólidos em suas posições e visão de mundo. Para que o protagonista possa ter referências para evoluir e se modificar e, principalmente, para que essas alterações possam ser notadas, os personagens secundários ficam como uma espécie de base fixa, com relação à qual podem-se perceber os movimentos dos personagens principais.

Contudo, nas telenovelas, a fronteira entre principais e secundários não é clara e depende do momento da história. Há personagens que não mudam, sejam ou não secundários. Basta lembrar aqui, como exemplo, Safira, Júlia e Nikos (*Belíssima*); Irene, Jota e Creusa (*América*); Rodrigo, Tiago, Ivan, Iracema, Virgínia e Belisário (*Paraíso tropical*) – personagens conhecidos do espectador que praticamente não evoluem. Os personagens não principais conferem sabor especial às histórias, pois são mais livres em sua composição, são, com freqüência, cômicos e leves (exemplos: Regina da Glória, de *Belíssima*, e Carreirinha, de *América*) e ainda introduzem temas e assuntos laterais às tramas que têm relevância social para a audiência (entre outros, Rique, Flor e Júnior, de *América*; Taís, Dagmar e Maria João, de *Belíssima*; Lucas e Ana Luísa, de *Paraíso tropical*). Os personagens cômicos tendem a ser caricatos, apropriados ao gênero da comédia, como podemos ver em *O bem-amado*, *Roque Santeiro* e em muitas telenovelas contemporâneas.

Ainda nesse contexto, há mais uma característica das telenovelas: é comum (e específico) personagens aparecerem no meio da trama e outros sumirem repentinamente. Alguns ressuscitarem também, independentemente da importância de seu papel nas tramas.

Entre muitos outros exemplos, Freddy, em *Belíssima*, aparece no meio da trama (pela primeira vez no capítulo 41, pela segunda vez no 82, depois no 85, no 87 e segue com aparições esporádicas) e em seguida torna-se personagem importante. O delegado Gilberto aparece perto do fim (capítulo 177), tem papel fundamental na trama e acaba como par de Vitória, uma das principais protagonistas femininas. Em *América*, o menino Rique sequer aparece entre os capítulos 53 e 104 e, depois, protagoniza momentos de suspense e tensão, quando um pedófilo se aproxima e o leva para sua casa (capítulo 115). Dalva, mãe de Farinha, só chega no 100. *Paraíso tropical* usou os aparecimentos e afastamentos como estratégia dramática, e muitas tramas começaram e terminaram durante o decorrer da telenovela, que recebia e dispensava os personagens envolvidos constantemente, como Amélia (morreu no capítulo 7), Hugo (entrou no 18 e saiu no 35), Wagner Alencar (entrou no 22 e saiu no 46), Isidoro (entrou no 16 e morreu no 97), Humberto (entrou no 7 e foi preso no 71), Evaldo (entrou no 15 e morreu no 104), Ana Luísa (saiu no 66 e voltou no 110), Fabiana (saiu no 76), entre muitos outros com papéis relevantes ou menos importantes. Além deles, vários entraram por alguns capítulos com a função específica de desencadear alguma ação.

Muitas vezes é difícil dizer se um personagem é secundário ou principal nas telenovelas ou nos filmes contemporâneos com tramas múltiplas. O conceito de protagonista está mais elástico, e com ele o objetivo e a unidade de ação dramática. Mais personagens principais, conseqüentemente mais objetivos. A telenovela tem uma rede de protagonistas envolvidos numa rede de tramas, com uma rede de conflitos e de objetivos dos personagens.

Objetivos

AS IDÉIAS DE FREUD permitiram conhecer melhor o lado até então oculto da psique humana. A divulgação e compreensão de suas idéias na primeira metade do século XX coincidem com o período de construção e afirmação do cinema clássico, que, com histórias mais complexas, pôde desenvolver e aprofundar a psicologia dos personagens. Havia, então, base científica para maior elaboração da vida interior (e exterior) dos personagens. Com mais consistência nas motivações, a cadeia causal da narrativa passou a se articular melhor. O personagem tem objetivos, contradições e desejos ocultos. Surge, assim, uma dificuldade adicional para diretores e atores, que adquirem a tarefa de ajudar o espectador a entender a vida interior e a intenção dos personagens por meio de ações, olhares e gestos.

O que leva um personagem a agir e a decidir é seu objetivo. Propp (1984, p. 68) entende que a motivação pode ser tanto a razão como o objetivo do personagem. Bordwell (1985, p. 19), preocupado com a unidade do filme, diz que a motivação é o processo em que a narrativa oferece justificativas para a história que se conta, que, por sua vez, apóia-se no objetivo do personagem principal.

As motivações podem ser desde psicológicas (do personagem) até artísticas, explorando o potencial de um ator que, por exemplo, é um grande cantor ou é muito sensual. Enquanto o objetivo faz parte do personagem, está na gênese de suas ações, a motivação depende do contexto, do momento do personagem na história e é subordinada ao objetivo.

Espera-se que um personagem mude com o resultado de seus atos e de sua motivação, mas não que seu objetivo seja alterado. Para Thompson (2001, p. 27), se o objetivo do personagem mudar, a história também mudará e será então outra história com outra rede de relações causais. As mudanças de objetivo, em geral, complicam a narrativa e os encaminhamentos, ao passo que as alterações nos traços do personagem significam que, no processo para chegar a seu objetivo, ele sofreu mudanças advindas de sua experiência, de seu amadurecimento, de seu maior entendimento do mundo, enfim, de sua vida. Com certa freqüência, para atingir seu objetivo, o personagem precisa perceber o mundo de forma diferente, compreender melhor sua realidade e aprender lições em seu percurso. Quando o filme acaba, ele não é mais como no início. É o mesmo, mas mudado.

São bem menos freqüentes os casos em que o objetivo do personagem muda, em geral por causa de algum acontecimento importante. A mudança de objetivo de Galinha (*Cidade de Deus*) é justificada e fundamentada. Galinha, campeão de caratê e exímio atirador treinado pelo exército, trabalha como cobrador de ônibus e escolhe ficar longe da violência da favela Cidade de Deus. Mas Zé Pequeno estupra sua mulher na sua frente, humilha-o e depois assassina parte de sua família, incluindo seu pai. Quem não mudaria com esses acontecimentos? O que de mais grave pode ocorrer a uma pessoa? Nada resta a Galinha a não ser vingar-se e combater Zé Pequeno. Decide entrar para as fileiras de Cenoura, um pequeno traficante que é ameaçado por Zé Pequeno e que é forçado (pelo próprio Zé Pequeno) a ser seu opositor. Galinha começa na bandidagem com a intenção de não matar nem cometer violências, mas acidentes de "trabalho" rapidamente o levam a entender que matar é melhor que morrer. De um pacato cobrador ao principal opositor do temível Zé Pequeno, Galinha sofre uma mudança radical, motivada pelo grau de violência e humilhação de que foi vítima.

No começo dos filmes existem cenas cuja intenção é apenas explicar quem é o protagonista e mostrá-lo para a platéia, que, com esse conhecimento, pode adentrar sua psicologia pessoal e avaliar suas ações. Tal é, por exemplo, a função dramática do massacre no motel, no começo de *Cidade de Deus*: Dadinho, um garoto de cerca de 6 anos, que mais tarde será chamado de Zé Pequeno por um pai-de-santo, recebe uma arma para montar guarda do lado de fora do motel, enquanto os mais velhos entram para fazer um assalto. Ele fica aborrecido por não participar diretamente da ação. Assim, cansado da monotonia de sua função, Dadinho dá o alarme falso de que a polícia está chegando. Seus colegas saem do motel, procuram-no, não o encontram e fogem rapidamente. O garoto, então, entra no estabelecimento e, sem compaixão alguma, assassina todos friamente, com doentia gargalhada. Esse é o personagem.

Em uma telenovela com tantos personagens principais, é difícil construí-los para que apresentem os traços normalmente observados nos protagonistas do cinema. O melodrama que caracteriza as telenovelas contribui para a criação de personagens mais rasos e simples. Alguns protagonistas chegam a revelar objetivo diferente daquele mostrado inicialmente, muitas vezes até contraditório, como explica Hamburguer (2005, p. 145). As eventuais mudanças de objetivo dos personagens atendem às necessidades do conjunto da telenovela, que precisa que estejam em outra posição dramática. Do ponto de vista do público, não parece haver inconveniente, uma vez que os índices de audiência não se alteram por esse motivo. Muda-se o objetivo do personagem sem causar estranhamento ao espectador, pois, com a longa duração da telenovela, o espectador pouco se lembra de como era o personagem meses atrás. Ele assimila bem as mudanças e tem como referência outros personagens que não mudam seus objetivos.

Aristóteles assinala que um fato falso seguido de um real, sendo o segundo verossímil, "empresta" sua veracidade ao primeiro. As telenovelas têm como característica narrativa a repetição de informações, de objetivos e de traços dos personagens para relembrar os espectadores que as seguem ou para informar os recém-aderidos à história. Se essas repetições são um pouco diferentes das anteriores, passam despercebidas. Com a continuidade desse procedimento, chega-se a um personagem muito diferente do que era antes, com objetivo também distinto. Essa é uma das chaves para as mudanças dos personagens nas telenovelas, mesmo as mais inverossímeis, que o espectador não percebe ou não considera relevantes, porque são feitas gradualmente e com discrição. A extensão da telenovela também ajuda o público a esquecer os fundamentos dos personagens expostos no início, o que facilita eventuais mudanças de objetivo que seriam indesejáveis, por exemplo, em um filme ou peça de teatro. Entre tantos outros, há o caso de Sol, Glauco, Helinho, Ellis e Neto, em *América*, e de André, Vitória, Alberto, Bia Falcão, Érica, Gigi, Mateus e Rebeca, em *Belíssima*. Eles mudam de objetivo de modo pouco convincente. Se apenas suas cenas pudessem ser selecionadas (sem todas as outras e sem os comerciais), provavelmente seriam seres dramáticos com pouca aceitação. Como o objetivo dos personagens orienta seus atos, é essencial revelar esse objetivo para justificar suas ações e mostrar a coerência delas.

Em *América*, o par supostamente principal tem comportamento diferente. Tião é um homem do campo, apegado às suas terras, simples, sólido em suas convicções e limitado em sua visão de mundo. A literatura e o cinema nacionais apresentam muitos personagens desse tipo, todos com raízes fortes no imaginário brasileiro, especialmente no nordestino. Glauber Rocha os mostrou, bem como Nelson Pereira dos Santos, Graciliano Ramos, Jorge Amado e João Cabral de Melo Neto – apenas para citar alguns nomes incontestáveis. Também Lima Barreto, em *O cangaceiro*, apresenta Teodoro como um desses homens de firmes propósitos, capazes de morrer por seus ideais. Tião se filia a essa linhagem de personagens brasileiros com raízes fortes, simplicidade de caráter, generosidade e, por que não dizer, pouca inteligência e enorme teimosia. Tião quer construir a casa com que seu pai sonhava em suas terras. Com tanta força no imaginário nacional, ele foi bem-aceito pela audiência, mesmo quando suas cenas foram mal trabalhadas – o que nem sempre ocorreu. Seu objetivo permanece firme e constante e é um dos principais apoios da história.

Sol, por outro lado, não tem a mesma raiz histórica e dramática e precisaria bastar-se como personagem. No entanto, ela muda de objetivo várias vezes, tateando alguma razão para viver e existir. Começa obcecada por um sonho infantil de fazer a vida na América, representado por um inseparável suvenir, ostensivamente presente na maioria de suas cenas. Em *Cidadão Kane* (1941), obra-prima de Orson Welles, um jornalista passa o filme inteiro procurando o significado de "Rosebud", última palavra proferida pelo magnata Charles Foster Kane antes de morrer. É o nome de seu brinquedo preferido quando criança, do qual foi separado bruscamente contra sua vontade. Ao contrário do suvenir de Sol, o objeto do cidadão Kane aparece apenas uma vez nas mãos da criança, no começo do filme, e outra vez no final, quando se pode ler a palavra "Rosebud" escrita no brinquedo que queima.

Para dar sobrevida à inverossímil personagem, a direção da telenovela alterou o objetivo de Sol. Além de ser extremamente pueril e inaceitável para uma mulher adulta ficar agarrada a um suvenir como aquele, não fazia sentido abandonar um grande amor (Tião) por um sonho abstrato. Ao contrário, os dramas mostram grandes renúncias em nome do amor. Cansados da constrangedora situação da personagem, os autores da telenovela arranjaram uma doença para o pai dela, a fim de justificar uma mudança de objetivo. Porém, poucos capítulos depois, ele é operado, convalesce, fica curado e monta outro negócio com um amigo recém-desempregado. Enquanto isso, Sol já está em

Miami trabalhando em vários empregos, ganhando não muitos dólares. A ajuda financeira que ela poderia proporcionar não é mais necessária. Assim, sem razão para levar uma vida humilhante e de martírio em Miami, Sol se aproxima de Ed, em um romance também pouco convincente (ele se apaixona por uma mulher que sai de uma caixa de papelão, que, por acaso, é Sol). Tempos depois, a moça fica grávida do rapaz. E tudo isso para tentar dar algum sentido para Sol.

É relevante observar a freqüência com que ela aparece na telenovela: nos 50 primeiros capítulos, aparece em todos, com média aproximada de cinco cenas por capítulo e picos de treze (capítulos 3, 5 e 28) e catorze vezes (capítulo 2). Com o andamento da telenovela, a freqüência de suas aparições diminui, e a atriz chega a não aparecer (capítulo 142), a aparecer apenas uma vez (nos capítulos 80, 109, 120, 132, 137, 139, 197, 199, 200, 202 e 203) e duas vezes em 16 outros capítulos. Nos últimos 10 capítulos, Sol apareceu em média três vezes por capítulo e, especificamente no último, só duas vezes. É uma queda acentuada para uma protagonista que, mesmo com tantos esforços para ser salva, ficou sem objetivo e sem a importância que o personagem deveria ter na telenovela.

Outra alteração curiosa foi a do ambicioso e bem-sucedido Glauco, um mau-caráter explícito. Além de muitos outros golpes subentendidos, ele corrompe Geninho e paga-o para enganar sua mãe, embebedá-la e fazê-la assinar a transferência das terras da família para si e seu sócio. Porém Glauco apaixona-se por Lurdinha, amiga de sua filha. O que começou como um malicioso jogo da jovem para seduzir o homem maduro (já mostrado pelo antológico filme de Stanley Kubrick, *Lolita*, de 1962, baseado no romance de Nabokov) transformou-se em um dos principais romances da telenovela, pois Lurdinha contou com a simpatia dos espectadores. Então, os autores mudaram o caráter de Glauco. Não se pode comparar a mudança desse personagem com a coerência motivacional de Teodoro (*O cangaceiro*), com a obsessão de Zé Pequeno (*Cidade de Deus*) ou com a mudança de Galinha (*Cidade de Deus*). A provável razão da mudança de Glauco é a sensual Lurdinha, que encantou o público e forçou os autores a impulsionar o namorado a virtudes incompatíveis com ele. Como deixar uma protagonista apaixonada sem seu par? Glauco poderia continuar mau-caráter mesmo apaixonado, mas a opção foi adaptá-lo ao caráter ingênuo de Lurdinha, quase mimetizando-o a ela.

No entanto, nem todas as mudanças são gratuitas nas telenovelas. Vejamos o caso de Antenor em *Paraíso tropical*. Ele é um personagem de telenovela atípico, porque não é maniqueísta e apresenta contradições interiores desde o começo da trama. Inicialmente, seu objetivo é ampliar seus negócios e manter sua vida com a esposa, a amante e as várias mulheres que aparecem, manipulando todas confortavelmente. Ele está acima da disputa pelo poder em suas empresas, oscila entre ser honesto e respeitoso ou um canalha que usa de procedimentos ilegais e socialmente inaceitáveis. Depois de separar-se da esposa e da amante, sofre um infarto e é obrigado a se retirar do comando das empresas. Nessa reclusão, triste e solitário, lembra-se do filho morto em um acidente quando criança e percebe que sua vida só fará sentido se tiver um herdeiro. Muda então de objetivo e passa a procurar uma mulher com quem possa ter um filho. É uma mudança de objetivo com coerência dramática, que faz sentido para o espectador e que se encaixa nas tramas dessa telenovela com naturalidade.

Nem todos os personagens têm objetivos alterados pelos autores, mas é freqüente que isso aconteça. Por causa da longa duração das telenovelas, das repetições que validam mudanças contraditórias e do interesse dos espectadores principalmente pela avalanche de fatos e pela função *show*, a constância dos objetivos é quase secundária e suas variações são aceitáveis pelos telespectadores.

Nas telenovelas, que por força da mídia apresentam personagens mais rasos e estereotipados, o objetivo é mais fugaz, podendo se tornar oposto ao inicial. Mesmo os filmes contemporâneos que trabalham com mais personagens e propõem um conjunto de protagonistas não permitem que os objetivos sejam modificados durante a trama. Assim, as telenovelas romperam o paradigma clássico e seguiram por outro caminho, característico do meio eletrônico e adaptado a ele e à difusão diária por longos períodos.

4

TEMPO E ESPAÇO

O GRANDE FÍSICO EINSTEIN associou tempo a espaço de modo que tempo–espaço tornou-se um termo único. Na física relativista, essa associação ocorre a velocidades próximas à da luz. Isso não se aplica a este trabalho, porque as histórias são contadas em tempos terrestres e humanos, não na escala astronômica, com a qual Einstein trabalhou na passagem do século XIX para o XX. Da enunciação da Teoria da Relatividade até hoje transcorreram mais de cem anos, de modo que suas idéias, no primeiro momento complicadas e pouco compreendidas, tornaram-se bordões repetidos, aplicados com freqüência e talvez mais assimiladas pelas sociedades contemporâneas.

Apesar da aproximação do conceito de tempo–espaço com nossa compreensão atual, no âmbito deste estudo o espaço é o espaço material, palpável e sensível. O tempo é o tempo da velocidade humana, medido pelos relógios preparados para contar a duração do giro da Terra em torno do próprio eixo. Objetivamente, para as narrativas audiovisuais, espaço é espaço, e tempo é tempo.

Espaço tridimensional

ORGANIZAR O ESPAÇO de uma cena é fundamental para localizar o espectador na ação e permitir que ele conheça e situe-se no ambiente em todos os momentos.

Antes do cinema clássico o espaço era teatral, visto apenas de um ângulo, o da câmera fixa. A câmera se colocava no ponto de vista da platéia em relação ao palco, na chamada "quarta parede do cenário". Daquela posição os espectadores do primeiro cinema assistiam ao drama imóveis. Viam um espaço bidimensional.

O cenário teatral, composto por objetos reais em que se pode tocar, é visto por um ângulo único pelo espectador na platéia. Sentado, ele não pode saber o que há atrás do sofá colocado em cena, nem se o ator, que tem as mãos escondidas atrás de si, porta uma flor ou uma arma. Embora seja um espaço criado com objetos, pessoas e arquitetura reais, em relação ao espectador funciona como uma perspectiva renascentista, bidimensional, assim como é o espaço registrado pela câmera fixa do primeiro cinema.

Com a decupagem clássica, passa a existir um espaço mais elaborado, que pode ser observado de vários ângulos e a várias distâncias, sem que se percam a continuidade e a compreensão do todo. Esse espaço ganha tridimensionalidade quase física: é possível ver quem está escondido atrás do sofá, que o ator tem um livro na mão escondida atrás do corpo e, ainda, aproximar-se de um vaso de flores e ver seus detalhes – que a câmera estática impede. Essa construção dá profundidade e volume e permite que se circundem os objetos da cena, criando uma espacialidade que nenhum outro drama encenado consegue oferecer ao espectador. É, portanto, um espaço tridimensional.

A idéia estratégica da quarta parede não foi rompida pela decupagem clássica, mas, com muito mais liberdade de posicionamento que a estática platéia teatral (Xavier, 1977, p. 20), a câmera muda de posições e permite ao espectador maior participação no drama, enxergando ações e personagens de vários pontos de vista. O espaço, que era platônico, observado de um ponto afastado e fixo, passa a ser construído, adaptado a vários olhares e ao movimento do observador dentro dele, tornando-se semelhante ao espaço em que o espectador vive na vida real. Pensando bem, ou olhando bem, é um espaço ainda melhor que o real, porque, além de tridimensional, faculta maior variedade de olhares do que uma pessoa tem na vida cotidiana.

A platéia vê todos os detalhes da cena pelo ângulo mais favorável, pelo qual tudo fica absolutamente claro. A decupagem procura encontrar as posições privilegiadas para que o espectador possa participar das cenas. Os pontos de vista dos personagens são emprestados ao espectador. Em um diálogo, por exemplo, o espectador observa a cena do ponto de vista de um dos atores e, em um corte, vê o primeiro ator do ponto de vista do segundo. Assiste a tudo dos melhores ângulos e, assim, comunga da emoção dos personagens. São os chamados "campo" e "contracampo". As reações, os pequenos movimentos faciais, tudo é mostrado ao espectador graças a essa mobilidade de posicionamento da câmera, aos enquadramentos com maior proximidade e aos movimentos de máquina de filmar.

A construção cinematográfica do espaço é uma parceria da decupagem com a montagem. Uma boa montagem precisa de bom material para ser realizada, e a decupagem fornece essa matéria-prima. A estratégia de dividir a cena em vários planos permite conseguir boas alternativas de escolha e de "costura" na mesa de cortes.

A criação do espaço tridimensional é uma das funções principais e um dos objetivos centrais do processo de decupar/montar. As posições da câmera para captar fragmentos de uma ação devem ser planejadas visando à montagem final. Afinal, não se trata de pegar pedaços e juntá-los depois, mas de escolher partes significativas para compor o todo previamente concebido.

Para incluir o espectador na cena, sem desnorteá-lo ou deixá-lo sem referências geográficas, e, ao mesmo tempo, para dar a sensação de tridimensionalidade, um cuidadoso método foi desenvolvido. Traça-se uma linha paralela à quarta parede do cenário, que corresponde, no teatro italiano, ao lugar da platéia e, no primeiro cinema, à posição fixa da câmera. A câmera deve se posicionar sempre de modo a não apontar para essa linha, e a linha pode se deslocar no cenário desde que se mantenha paralela à quarta parede. Isso permite à câmera cobrir um ângulo de 180 graus, deslocar-se para trás e para frente e olhar de um lado para o outro. Porém não se pode mostrar o lugar onde está essa linha, o que significaria desmontar a geografia da cena e colocar o espectador em um lugar desconhecido do espaço.

Um bom exemplo da aplicação dessa técnica está em *O cangaceiro*, na cena do começo do filme, em que o Coronel Galdino Ferreira está em uma casa na cidade esperando pelas reclamações dos cidadãos. Uma senhora idosa entra chorando porque seu cabrito foi morto por um dos membros do grupo. Galdino manda o cangaceiro pagar à senhora o valor do animal. O espaço é bem construído, a quarta parede é claramente definida, de modo que os deslocamentos dentro da sala são bem compreendidos, assim como as posições de cada ator na cena. Essa construção parece trivial aos olhos contemporâneos, mas a realização e generalização desse tipo de decupagem representam uma conquista histórica. Em *O grande momento* também são inúmeras as construções de espaço bem-sucedidas: na alfaiataria, na loja do fotógrafo ou na própria casa de Zeca, onde se pode entender e reconhecer a relação entre todos os espaços. Logo na primeira cena, a casa é apresentada com apenas três planos. O primeiro plano mostra Zeca na sala, em frente à cômoda, pedindo à mãe para atender a porta. O segundo é o plano da mãe de Zeca na cozinha, no fim do corredor; em seguida, ela caminha em direção à câmera, pára na porta do quarto de Nair, pede que ela acorde e continua a caminhar. Por fim, o terceiro plano exibe novamente Zeca na sala; sua mãe entra em quadro continuando a caminhada que fazia pelo corredor e vai até a porta de saída; a câmera a acompanha (panorâmica). Com esses planos, mostra-se toda a geografia da casa, da porta de entrada até a cozinha, passando pelo corredor onde estão os quartos.

Hoje, parece fácil explicar e organizar os planos em espaços, mas por décadas esse eixo (paralelo à quarta parede) foi um dos problemas nos *sets* de filmagem brasileiros (e norte-americanos também). Mesmo quando amiúde se filmava com várias câmeras, o posicionamento delas no cenário era complicado. Quando se usava apenas uma câmera, além das dificuldades normais, o tempo que transcorria entre o fim de um plano e a colocação do equipamento em uma nova posição de câmera criava tribulações adicionais de continuidade, principalmente de objetos, malas, cigarros, relógios, echarpes, entre tantos outros.

A televisão, por questões técnicas, teve a complexa arquitetura de decupagem simplificada. É natural a esse veículo trabalhar com mais de uma câmera, ver o resultado na hora e editar simultaneamente. O reflexivo método de montar as cenas e atribuir significados usado pelo cinema é substituído, na televisão, pela operação mecânica de fazer os ângulos das várias tomadas combinarem. O posicionamento das câmeras pode ser conferido na hora, e, no caso de o resultado não estar compreensível, são feitas mudanças imediatamente, antes de o programa ir para o ar. Com o videoteipe, as posições de câmera no estúdio foram mantidas, mostrando que os ângulos usados pelo cinema clássico eram eficazes e claros para a audiência. O que para o cinema levou décadas de árduo exercício a tecnologia envolvida no fazer televisivo resolveu rapidamente, com a construção da geografia diegética praticamente automática. No entanto, o automatismo do posicionamento das câmeras de TV produziu decupagens mais previsíveis e padronizadas, enquanto o cinema, por precisar planejar, refletir e decidir a cada plano onde colocar a máquina, consegue soluções menos esperadas e mais ousadas.

Na TV ou no cinema, desrespeitar o eixo da quarta parede significa romper a geografia da cena, desnortear o espectador e, pior, expulsá-lo da diegese e devolvê-lo compulsoriamente à poltrona. Avançar para o interior da cena e olhar com os olhos dos personagens significa trazer o espectador para dentro do próprio cenário em que se passa o drama. Assim, um dos pilares de sustentação do modelo clássico é a inclusão do espectador, de maneira privilegiada, nesse espaço diegético.

A construção do espaço, produto da decupagem e posterior montagem, muito usada pelo cinema clássico é planejada para incluir o espectador na cena, como se fosse um ser invisível que a tudo pudesse assistir do melhor ângulo possível[23]. Dessa maneira, o espectador é sugado da sala de cinema e incluído na diegese pela habilidade e pelo método de dividir a cena em vários planos e de montá-los de modo a costurar cada espectador do lado de dentro da tela. Isso se faz descrevendo o espaço e fechando-o com o espectador dentro dele. Por isso, os planos e contra-planos são fundamentais: eles representam os olhares que circunscrevem e fecham o espaço, que definem sua finitude e seus horizontes. Ele está dentro da cena, como o polêmico trabalho de Dayan (1976, p. 449) propõe. No entanto, é o diretor, em vez do espectador (Xavier, 2003, p. 36), quem escolhe os planos mais significativos dos atores e dos objetos, bem como quem define os ângulos mais favoráveis e seleciona o que ver e o que subentender para melhor construir o espaço e conseguir maior manipulação emocional do espectador. A tridimensionalidade do espaço é criada e autorizada apenas pela equipe técnica, não sendo permitido a qualquer pessoa da platéia eleger o que dessa tridimensionalidade deve ser desfru-

23 Há uma expressão norte-americana muito usada para os documentários: "*flying in the wall*". Para essa linha de pensamento, o documentário ideal é aquele em que a câmera se comporta como uma mosca pousada na parede do espaço da cena, podendo observar tudo sem ser notada. No texto, empresto a expressão do documentário para a ficção.

tado. A palavra "autorizada" aqui leva duplo sentido: a equipe é autora e é autoridade – é autora porque faz, manipula e constrói esse espaço usando técnicas e estratégias disponíveis; e é autoridade porque não fornece ao espectador alternativa de ângulo e proximidade que não seja aquela determinada pela equipe realizadora.

O espectador deduz o que ficou fora do enquadramento, conhece exatamente a relação espacial entre cada pessoa e cada objeto, sabe o que está atrás dos atores, dentro do armário ou atrás da porta. Conhece detalhadamente o acampamento do bando de Galdino (*O cangaceiro*), a casa de Zeca (*O grande momento*), a sala do doutor (*Carandiru*), a boca dos apês (*Cidade de Deus*), a modesta casa de Tião (*América*), a gélida casa de Bia Falcão (*Belíssima*), os apartamentos modernos de Daniel e de Olavo (*Paraíso tropical*), bem como a prefeitura de Odorico Paraguaçu (*O bem-amado*). As distâncias entre as pessoas e entre elas e os objetos ou paredes apresentam-se concretas, mensuráveis. Os cortes freqüentes entre *closes* e planos gerais (passando pelos planos americanos e de conjunto) tornam mais fácil para o público construir e, principalmente, entrar mental e visualmente naquele espaço.

Com o passar dos anos, o domínio dessa construção ficou maior e mais sofisticado, a ponto de permitir variação da escolha da quarta parede em um mesmo ambiente, sem jamais abandonar o princípio fundamental de nunca apontar a câmera na direção da linha imaginária que define a cena. É o caso da seqüência inicial de *Carandiru*, que se passa em um estreito corredor interno do presídio. Ele tem a entrada de um lado, uma janela no final e celas à esquerda e à direita da entrada. A seqüência é longa, tem momentos dramáticos diferentes e alterna a quarta parede à medida que os assuntos mudam. Quando se trata de problemas entre os presos, a quarta parede é a que fica à esquerda da entrada; quando as conversas ficam mais institucionais, sobre regras e comportamento dentro do presídio, a quarta parede é a da direita da entrada. Mesmo com essas variações de eixo na mesma seqüência, em um corredor estreito com difíceis opções de ângulo, o espectador jamais se confunde ou perde a noção de espaço: sabe onde ele – espectador – e cada ator estão o tempo todo.

Nesse mesmo filme, na seqüência seguinte, outra mudança de eixo no mesmo espaço é feita com extrema habilidade. Na sala de Seu Pires, a cena mostra uma subjetiva dele (campo), quando o Doutor entra pela esquerda e fala de aids. No contracampo (subjetiva de Doutor), Seu Pires em sua mesa responde. A quarta parede é a da direita de Pires, de costas para a qual ficam as posições de câmera. Em seguida, plano do Doutor, que se move e muda de lado (vai para a direita) em relação à mesa de Pires. A câmera acompanha com *travelling* e panorâmica, e o Doutor está, então, à direita de Pires (é uma subjetiva de Pires). No contracampo (subjetiva de Doutor), vê-se claramente que a quarta parede está agora à esquerda de Pires. Portanto, na mesma cena houve uma mudança de eixo sem incômodo para o espectador, que viu a alteração (*travelling* e panorâmica). Há justificativa para a mudança de eixo porque também houve mudança de assunto.

Os dois casos têm construção difícil, elaborada e propositalmente concebida com extremo domínio de decupagem e montagem, já que a regra foi adaptada a cada momento dramático dentro do mesmo espaço, sem que isso confundisse o espectador ou sem que a norma da quarta parede fosse desobedecida.

Nas telenovelas, como os mesmos espaços aparecem muitas vezes, a decupagem conta com o conhecimento acumulado do espectador e diminui os planos gerais, restringindo-os apenas a mostrar a posição relativa dos personagens em cada cena, sem se preocupar em descrever o espaço já conhecido de capítulos ou cenas anteriores.

No entanto, quando as locações são novas, aparecem pouco ou a direção da telenovela propõe ângulos inusitados, nem sempre se consegue obedecer ao eixo, o que, no fluxo narrativo, acaba assimilado pelo espectador, apesar da desorganização da geografia. Em *Belíssima* há vários planos desarranjados nas locações na Grécia (fora do estúdio), no esconderijo dos bandidos, no bordel onde Taís está presa, nas externas, e no Brasil, nas cenas de Nikos no sanatório onde Júlia está internada, no casamento de Jamanta, na delegacia em que Taís depõe, entre outras.

Isso não acontece só na televisão. Os filmes também cometem deslizes desse tipo, e, mesmo nos de um grande estúdio como o Vera Cruz, de *O cangaceiro*, há situações em que o eixo não é observado, gerando confusões de entendimento (por exemplo, a travessia do rio por Teodoro e Olívia, detalhada em "Diferentes espaços", adiante). Além da alta intensidade do fluxo narrativo e da tela pequena, outro fator que minimiza os problemas causados pela quebra de eixo na TV é a predominância de *closes* e planos médios na decupagem. Essa opção de enquadramento valoriza o texto e as reações dos atores em detrimento da construção visual do espaço, o que, aliás, remete à radionovela. A predominância de *closes* compõe o clássico campo/contracampo, estrutura bem conhecida, de fácil execução, que praticamente não deixa margem a erros.

A boa construção do espaço e a inclusão do espectador na cena parecem ser os componentes fundamentais para que a platéia acredite que aquilo que vê na cena (em que está, a qual presencia, da qual participa) é verossímil. Pouco importa se há marcianos, dinossauros, homens voadores ou mulheres imortais, tudo parece real quando o espectador vê a cena e sente que está nela, que participa dela. Essa aparência de verdade é mais forte que a coerência ou incoerência das ações.

A criação do espaço é uma tarefa muito mais ligada ao *set* de filmagem do que à escrita da narrativa, mas foi detalhada aqui pela importância que o espaço tem para os autores. Os escritores subentendem que as ações serão dirigidas no *set* de gravação com competência e que os espaços serão verossímeis, já que, nas telenovelas, a verossimilhança também é característica importante.

Muito se fala da verossimilhança (que significa "qualidade do que parece verdadeiro"): que varia de cultura para cultura, que depende do gênero, que se altera com o repertório do espectador, entre tantos outros aspectos relevantes. Além de todos eles, a construção do espaço que integra o espectador à cena confere-lhe maior verossimilhança, e, apoiados nessa característica, o cinema e a TV constroem universos verossímeis, mas não necessariamente existentes em nossa realidade concreta.

Diferentes espaços

A RELAÇÃO ENTRE ESPAÇOS DISTINTOS é outro assunto cuidado com zelo e técnica pelo cinema clássico. O deslocamento de cenários, a disposição entre um cenário e o vizinho e a distância entre eles devem ser claros na construção espacial. *O grande momento* apresenta o posicionamento dos cômodos da casa de Zeca. Essa relação entre os espaços é mostrada várias vezes, mas na primeira há extremo cuidado para explicar visualmente qual é a relação entre entrada, sala, corredor, quartos e cozinha.

O cangaceiro exibe boa construção de espaços relacionados entre si, e, nesse caso, em um lugar de difícil orientação visual: o refúgio do bando do Coronel Galdino Ferreira. No centro do acampamento, há uma fogueira, em volta da qual estão assentadas várias palhoças – algumas mais próximas, outras mais afastadas. O casebre em que a professora Olívia está presa tem localização bem definida, acima e à esquerda de onde ficam a fogueira e a roda de cantorias. Construir orientação espacial em lugares abertos é tarefa delicada pela falta de referências que permitam organizar a geografia. Para complicar mais, a área da fogueira nesse filme é redonda e tem todos os lados praticamente iguais. No entanto, é perceptível a distância entre a fogueira e a casa/prisão, que está um nível acima dos demais casebres.

As telenovelas que trabalham com vários espaços em uma mesma casa também organizam com clareza sua geografia. Em *Belíssima*, por exemplo, a sala de jantar na casa de Katina fica entre a sala de visitas e a cozinha, e o escritório em que Murat lê fica ao lado da escada. Já na residência de Bia Falcão, a sala de jantar e o escritório formam um ângulo, no vértice do qual fica a sala.

Muitas vezes é preciso relacionar locais afastados entre si, e a narração e os diálogos podem ajudar a esclarecer onde e quão distantes estão os lugares em que as ações acontecem. Mencionar a direção dos deslocamentos, o tempo que os personagens levam para percorrer as distâncias e acontecimentos fora da tela (em outros espaços), bem como ter habilidade de mesclar planos gerais e *closes* e de fazer montagens paralelas, são elementos que ajudam a explicar a disposição dos vários espaços cênicos, estejam na mesma casa, na mesma cidade ou na mesma galáxia.

Cidade de Deus utiliza vários recursos para relacionar espaços diferentes. Busca-Pé explica, como narrador, a localização da boca de Cenoura enquanto a imagem mostra um mapa da região. Nada mais claro que um mapa para mostrar a posição geográfica dos domínios de Zé Pequeno e os de Cenoura. Perto do final do filme, outra forma é usada: Zé Pequeno sai de seu espaço com seu bando armado. O espectador sabe, pelos diálogos, que eles se dirigem à boca de Cenoura para tomá-la e entende que a direção em que o grupo está caminhando (da esquerda para a direita da tela) leva ao local que querem tomar. Mesmo com as paradas para acertos de contas, o espectador nota em qual direção o grupo deve se deslocar.

No cinema mudo, cartelas escritas indicavam mudança de lugar ou de tempo, para situar bem o espectador. Ainda hoje esse é um recurso bastante utilizado pelo cinema e pela TV, que, embora tenha evoluído e assumido novas formas, não abandonou sua função primeira. Uma dessas evoluções pode ser constatada na novela *América*, que tinha cenas em várias cidades e em vários bairros da mesma cidade. Por problemas já explicados, a emissora aplicou alterações na telenovela a partir do capítulo 45. Entre outras medidas, introduziu um sistema de vinhetas gráficas para anunciar cada lugar ou cidade diferente, evitando que cortes bruscos confundissem o espectador. Assim, antes das cenas em Miami, uma vinheta mostrava Miami e reiterava, incluindo o letreiro "Miami"; antes das tomadas em Boiadeiros, uma vinheta mostrava Boiadeiros e o letreiro com seu nome. Capítulos depois, os nomes foram abandonados, permanecendo, até o fim da novela, somente a vinheta com imagens típicas dos lugares.

Os movimentos dos personagens em cena também seguem regras básicas. Entre um plano e outro, os deslocamentos devem ter a mesma direção. Caso o personagem comece em um sentido e continue em outro, a impressão será de que o ator voltou para onde estava antes.

O cangaceiro apresenta um caso clássico de deslocamento. Após a fuga de Teodoro com Olívia, eles seguem da direita para a esquerda da tela. O bando de Galdino, que os persegue, também se desloca nesse sentido. A terceira volante, força da "civilização" (da cidade) que quer acabar com o bando, vem em sentido contrário, da esquerda para a direita. Mesmo no plano geral, em que mal se podem distinguir as pessoas, o espectador identifica os personagens pelo sentido do deslocamento. A terceira volante e o bando de Galdino se encontram na cena do combate, mantendo essas posições relativas. No entanto, e apenas para registro, quando Teodoro e Olívia ainda fugindo atravessam o rio, da direita para a esquerda do quadro, deparam com uma turbulência da qual se afastam, a fim de procurarem um lugar melhor para passar. Recuam, encontram outro caminho e seguem cavalgando até a margem em que começaram a travessia, da esquerda para a direita. A percepção visual é de que retornaram à margem de origem, pois começaram da direita para a esquerda e chegaram à margem da esquerda para a direita. O diálogo, no entanto, revela que houve um engano na decupagem, pois Olívia comenta que "imaginava que cruzar um rio a cavalo fosse mais difícil do que realmente foi".

Na TV, como no cinema, eventuais equívocos ocorrem principalmente em locações fora dos estúdios. No entanto, a telenovela raramente articula espaços diferentes com o deslocamento dos atores. Já que os espaços se repetem em vários capítulos, sua posição relativa é conhecida pelo espectador, e o diretor de cena não precisa da continuidade da movimentação dos personagens para novamente localizar esses lugares.

Tempo dos fatos

A NARRATIVA CINEMATOGRÁFICA pode comprimir ou alongar o tempo conforme as necessidades dramáticas. A platéia assiste apenas às ações relevantes, significativas para a história. Se essas ações estão afastadas no tempo, a narrativa audiovisual as justapõe, evitando fatos sem importância ou tempos sem significado dramático.

Um bom exemplo da construção de tempo é a fuga de Teodoro e Olívia (*O cangaceiro*). Pelos diálogos, ela dura dois dias, mas foi condensada para se estender por alguns minutos na tela, nos quais apenas o que é importante para o drama é mostrado. Há também o filme *O grande momento*, que narra um dia de ação em pouco mais de uma hora. Por fim, *Cidade de Deus* mostra mais de dez anos de história em 130 minutos de filme.

A decupagem e a montagem, além de sintetizarem o tempo em fatos significativos e de excluírem momentos em que não há ação relevante, eliminam os protocolos automáticos, bem conhecidos pelo espectador. Um exemplo: no meio da comemoração de seu casamento, Zeca (*O grande momento*) espera que seu amigo Vitório chegue com o resto do dinheiro da venda de sua bicicleta. Eles se desencontram, embora estejam no mesmo lugar. Zeca sai à procura de Vitório, e Vitório procura por Zeca na casa da noiva, onde todos comemoram. Vemos, em seguida, Zeca tomando pinga em um bar. Ora, ninguém entra em um bar e já está com a bebida nas mãos. Há um protocolo comum e conhecido: o balconista saúda o freguês, o freguês responde, o balconista pergunta o que pode oferecer ao cliente, o cliente elege sua bebida, o balconista pega a garrafa, serve a bebida, e então, somente então, o freguês tem a bebida nas mãos. É um protocolo comum, conhecido, que não precisa ser descrito pelo filme. Todos sabem que assim se desenvolveu a situação, mas o importante é revelar a solidão de Zeca em frente ao seu copo de cachaça em um bar vazio no dia de seu casamento.

A compressão do tempo tem função óbvia: mostrar ao espectador apenas o que é relevante para a cena, para o drama, sem perder fotogramas com momentos facilmente subentendidos ou dedutíveis. Otimiza-se assim o precioso tempo de tela.

Em muitas situações audiovisuais, o tempo pode ser alongado, aumentando o efeito dramático e sua densidade. Demorar-se em uma cena, explorar mais lentamente as reações dos personagens, analisar com menos rapidez uma ação ou movimento são alguns desses casos em que a narrativa constrói um tempo mais longo que o do relógio. *Sauve qui peut (la vie)*, filme dirigido por Godard em 1980, apresenta cenas que alongam o tempo, hierarquizando ações privilegiadas pelo diretor, em que se pode penetrar mais intimamente nas emoções dos personagens ou durante as quais se pode refletir; enquanto isso, cenas rápidas, como a de um atropelamento, ocorrem. Nas cenas contínuas, Godard muda a velocidade dos acontecimentos e retarda parte deles (com câmera lenta), alterando a percepção do tempo, alongando a duração de fragmentos de ações e trazendo novo significado a uma cena trivial.

É freqüente, em filmes infantis, o alongamento do tempo. Por exemplo, em *Peter Pan*, a antológica animação de 1953 dos estúdios Disney, há vários momentos em que isso ocorre. Um deles é quando Capitão Gancho e seu ajudante de ordens, Smee, trazem em um barco a remo a princesa indígena Tigrinha, filha do chefe Touro Sentado. Ela é prisioneira deles e está amarrada a uma âncora. Peter Pan e Wendy, que passeavam pelas redondezas, vêem o barco e suspeitam que os piratas estejam se dirigindo à Ilha das Caveiras, uma gruta escura ligada ao mar, apropriada para ações do mal. Lá dentro, Gancho exige que Tigrinha revele o esconderijo de Peter Pan, sob pena de ser afogada. Peter Pan, que a tudo assiste, resolve brincar e exibir-se para Wendy, e, escondido, faz sua voz ecoar na caverna, como se fosse o "espírito das águas". Smee fica aterrorizado, e Gancho vai procurar a misteriosa voz. Peter Pan, então, imita a voz de Gancho e manda Smee levar a princesa Tigrinha de volta à sua aldeia. Smee obedece e rema em direção à saída da gruta, mas Gancho o intercepta e o manda voltar. Smee volta e joga à água a princesa amarrada à âncora. Peter Pan, sem notar essa ação, continua a imitar a voz de seu adversário, mas Gancho o descobre, ataca-o e os dois começam a lutar nas pedras mais altas da caverna. Peter voa, zomba de Gancho durante a luta e é insolente. Pega a arma do pirata e a entrega a Smee. Gancho pede que Smee alveje Peter Pan, que voa fazendo acrobacias. O menino pára em frente a

Gancho, e Smee atira, acertando Gancho. Peter Pan, irônico, diz: "Que pena que perdemos nosso capitão". Mas Gancho não morreu e o surpreende por trás. Lutam novamente, Gancho com a espada e Peter Pan com a faca; o garoto está perdendo e recua para fora da plataforma alta em que se encontram. Gancho o ataca, Peter recua propositalmente e Gancho não percebe que saíram da plataforma. Peter flutua no ar e Gancho cai no mar, mas se segura à montanha pela ponta do gancho de sua mão esquerda. O crocodilo se aproxima, e Peter fala com ele sobre o "bacalhau" (maneira como se refere a Gancho). O crocodilo sinaliza que quer comer Gancho. O capitão acaba caindo da rocha na boca do crocodilo. Ele abre as pernas impedindo que a boca do animal feche com ele dentro, luta com o crocodilo e pede ajuda a Smee, que se aproxima de barco. Gancho sobe no barco e Smee rema rapidamente para fora da gruta, mas Gancho, em pé na embarcação, tromba com a parede da saída. O crocodilo avança sobre ele, e o pirata, nadando para alto-mar, foge do réptil, que vem logo atrás. Peter Pan assiste a tudo lá de cima. Wendy se aproxima e o lembra da princesa Tigrinha, que se afoga, quando, então, Peter Pan voa até ela para salvá-la. Enquanto a princesa se afogava, todas essas coisas ocorreram, tempo mais que suficiente para que ela afundasse e morresse.

Outro momento decisivo, que não será descrito em respeito à paciência do leitor, é quando as crianças estão no observatório do navio e os piratas estão bem próximos, prestes a agarrá-las, enquanto Peter Pan luta com Gancho no convés. Sininho avisa Peter Pan do perigo que envolve as crianças. Mais uma vez, dilata-se o tempo em nome da dramaticidade.

Enfim, não é apenas nos filmes infantis que isso acontece; nos filmes de aventura e nos policiais essas situações abundam.

Também nas telenovelas temos essa dilatação de tempos dramáticos. Quando Bia Falcão morre (*Belíssima*, capítulo 64), o tempo do acidente fatal é esticado. O encontro mágico entre Tião e Sol, no início da novela *América* (capítulo 2), é prolongado da mesma forma. E o desastre de barco de Taís, no dia do casamento de Paula, em *Paraíso tropical* (capítulo 112), também. Mas há muitos outros exemplos, entre eles a hilariante luta de Pascoal com Takae (*Belíssima*), que, apesar do uso da câmera rápida para aumentar a comicidade, é uma cena longa na qual Takae revela-se um caricato lutador imbatível e dá uma surra no pobre Pascoal, que nunca poderia imaginar que o japonês pacato e ingênuo fosse como o estereótipo de seus conterrâneos, um fulminante lutador igual aos que aparecem nos filmes de luta e trucidam seus adversários.

Assim, manipular o tempo, alongá-lo ou sintetizá-lo é uma questão muito mais de significado dramático do que de verossimilhança ou de fidelidade à realidade.

Tempo entre fatos

UMA DAS MAIORES COLABORAÇÕES do cinema clássico à narrativa audiovisual foi a montagem paralela – a intercalação de duas cenas ligadas entre si que ocorrem em espaços separados. D. W. Griffith é um dos responsáveis por esse avanço na linguagem. A clássica cena do filme *Nascimento de uma nação*, dirigido por ele em 1915, em que cavaleiros correm para salvar a família que está sendo atacada pelos revoltosos, ilustra bem esse tipo de montagem: em uma fazenda retirada, uma família branca é atacada e ameaçada por negros revoltosos; enquanto isso, um grupo de cavaleiros corre até lá para salvar a família e restabelecer a ordem. Na tela: cavaleiros em desabalada correria; corta para a família branca, que, cercada pelos negros, tenta conter a porta; volta para a cavalaria a galope; corta para a família, que, em desesperada luta, cede uma abertura na porta; volta para a cavalaria, que corre; corta para um familiar que consegue empurrar o invasor e fechar a porta; e assim por diante até que a cavalaria chega à casa, os dois grupos se encontram e lutam, e os revoltosos batem em retirada. A família está salva! A ordem se restabelece.

Essa conjugação de ações em espaços diferentes foi consagrada pelo cinema clássico e se tornou paradigmática: acompanham-se duas ações que não ocorrem no mesmo cenário, mas acontecem ao mesmo tempo e estão no mesmo filme. Essa montagem organiza os espaços separando-os, mostra a relação geográfica que eles têm e, principalmente, coordena o tempo entre uma ação e outra, indicando, quase como um relógio, como e quando os eventos ocorreram.

A perseguição de Teodoro e Olívia em *O cangaceiro* tem várias ações que ocorrem ao mesmo tempo: 1. Teodoro e Olívia fogem; 2. Chico Rastejador procura-os; 3. a terceira volante desloca-se em direção ao bando de Galdino; 4. o bando de Galdino persegue Teodoro e Olívia. São muitas ações simultâneas, bem identificadas no filme.

Essa montagem paralela de fatos foi aprimorada e ainda é utilizada pelos discursos audiovisuais, incluindo as telenovelas. Os espectadores estão familiarizados com esse código, que, hoje, parece natural.

Há também recursos para mostrar relações entre ações não simultâneas. Duas cenas podem ocorrer com intervalo de tempo imediato ou após vários anos. É preciso deixar claro o tempo transcorrido entre uma cena e outra, qualquer que seja ele. Vários componentes ajudam nesse esclarecimento: letreiros, explicações, diálogos, maquiagem, roupas, encontros marcados, menção ao momento, datas-limite, ações cujo tempo é conhecido da platéia, fusão ou outros efeitos sonoros e visuais. Há ainda, é claro, calendários com folhas voando e relógios que aceleram seus ponteiros.

As cartelas com informações escritas, como já dito, também têm a função de organizar o tempo, seja em pequenos lapsos, seja em grandes passagens. *Cidade de Deus* usa, entre outros recursos, mensagens por escrito para datar as cenas, como no romance de Cabeleira com Berenice. A primeira cena mostra o começo do envolvimento deles na cozinha da casa dela. Um letreiro indica "três meses depois", e podem-se ver ambos na cama, íntimos, fumando maconha e namorando. Berenice avisa que quer sair daquela vida, com Cabeleira ou sem ele.

Carandiru usa principalmente os diálogos e as mudanças de comportamento dos personagens para mostrar a passagem do tempo. Zico, por exemplo, que na seqüência inicial do filme está saudável, disposto e participativo, vai chafurdando nas drogas, perde a lucidez que tinha, vê seus tiques nervosos aumentarem até assassinar o grande amigo Deusdete com água fervendo. Depois disso, por comprar droga fiado e não conseguir pagar, Zico é assassinado a facadas. A passagem de tempo é mostrada pela mudança de comportamento de Zico, de sua atuação no conflito no começo do filme, quando recebe carinhosamente com um abraço fraternal o amigo de infância Deusdete, até o momento em que mata esse mesmo amigo querido, culminando com o próprio assassinato.

Outro exemplo de passagem de tempo cinematograficamente agradável, dessa vez com narração, é a história da "boca dos apês", em *Cidade de Deus*. Um letreiro anuncia "História da Boca dos Apês". Nesse caso, o letreiro organiza o tempo e a narração, pontuando um capítulo. O narrador Busca-Pé conta como surgiu aquele ponto-de-venda de drogas, e, à medida que explica sua evolução, a imagem mostra as cenas correspondentes, sempre filmadas do mesmo ângulo, com as variações de cenário, personagens e ações relacionados. O tempo que passa é construído pela conjugação da imagem com a narração.

Cidade de Deus também apresenta passagens de tempo sem o uso de diálogos ou de narração. Quando Cabeleira empurra um carro que queria roubar para fugir com Berenice, é reconhecido pelos policiais e morto a tiros, ficando estendido na rua. Na tela cheia, passa um veículo (um Rural Willys, utilitário dos anos 1960) em forma de cortina e, após essa passagem, a paisagem muda, os garotos estão crescidos cerca de dez anos. Com a simples passagem de um objeto pela tela, em um efeito conhecido por "*wipe*"[24], a história foi adiantada em uma década. Mais uma transição de tempo criativa: no início do filme, na já mencionada cena antológica de tons azulados, em que Busca-Pé vai pegar a galinha que fugia, a câmera o rodeia mostrando os lados opostos da rua (faz 360 graus), e, em um desses movimentos circulares, o filme volta cerca de dez anos com uma imagem sépia, em que Busca-Pé, ainda menino, joga futebol em um campo de terra batida.

24 *Wipe* é um efeito muito utilizado em montagem eletrônica, que consiste em passar uma linha ou objeto de um lado para o outro da tela, como se fosse uma cortina. A imagem da primeira tela pode ser muito diferente da imagem da segunda, após o *wipe*. Os computadores ou máquinas de edição aplicam esse e outros efeitos com um simples apertar de botões.

Por sua natureza, nas telenovelas esses lapsos são menos elaborados. A passagem de longos períodos de tempo, em geral, ocorre em seu início, em seu final ou nos *flashbacks*. Durante os capítulos regulares, é mais comum encontrar apenas a omissão dos tempos mortos, já que as telenovelas preferem as conexões que fornecem respostas imediatas. No filme ou na telenovela, independentemente do tempo transcorrido, toda a história precisa acompanhar a passagem do tempo. Se forem anos, eles passarão para todas as pessoas envolvidas: o protagonista ficará mais velho, os filhos do vizinho crescerão, o vendedor de jornais usará óculos e bengala, a mesa ficará gasta, a secretária se tornará grisalha, e assim por diante. A lógica e a coerência de todos os elementos dão ao espectador a segurança de que os anos passaram e a história continua sem comprometer a compreensão dos fatos e sem perder sentido.

Sincronização das tramas

A HISTÓRIA DO CINEMA tem muitos casos de várias tramas em filmes que não se enquadram no modelo clássico de narrativa. Faz parte do paradigma clássico haver uma (ou poucas) história(s) principal(is), com um protagonista que motiva as ações e o drama.

Nos filmes em que há algumas tramas, a sincronização entre elas costuma ser bem trabalhada e os pontos de contato bem arquitetados. No cinema clássico, se não existem tramas paralelas, há ações paralelas ligadas ao mesmo drama, articuladas pela montagem, que ajuda a relacionar no tempo ações em espaços separados. Essa é a base do esforço técnico e dramático do cinema clássico para construir um tempo diegético aceitável, admissível e compreensível pela massa espectadora.

Nas telenovelas, a existência de muitas tramas contemporâneas e de muitos núcleos dramáticos se constitui em uma das características que definem o paradigma televisivo de contar histórias. Foi dito que a telenovela é construída por várias histórias paralelas, simultâneas, que se desenvolvem às vezes independentes entre si, outras vezes nem tanto. Esse desenrolar das tramas requer uma coordenação precisa, o que parece ser um ponto delicado nas múltiplas histórias.

Na TV, muitas tramas são lineares, têm desenvolvimento lógico e se desdobram naturalmente ao longo do tempo, mas nem sempre evoluem de modo concatenado. Freqüentemente, uma delas não apresenta a mesma velocidade ou o mesmo uso do tempo que as outras. E, quando os personagens se encontram e essas tramas se tocam, esse desacerto fica evidente. De maneira geral, as telenovelas não definem as ações no tempo e as propõem em ritmo alucinante, como uma avalanche de fatos, desvinculadas de um tempo concreto. É como se fatos seguidos de fatos ocorressem incessantemente sem que um tempo concreto os envolvesse. São ações que pairam fora da concretude do tempo conhecido e experimentado. Parece tratar-se de outra dimensão, na qual o tempo não é necessário nem requisito para que as ações transcorram. Essas ações flutuam com lógica peculiar, sem compromisso temporal.

Algumas ocorrências, mesmo nessa dimensão etérea, implicam uma passagem de tempo conhecida pelo espectador, que nesse caso compara esses fatos com sua realidade. Algumas tramas de núcleos diferentes precisam se encontrar e, nesse caso, haverá uma aferição dos tempos transcorridos em cada feixe dramático.

As histórias voltam da dimensão atemporal para o universo comum da vida dos espectadores, em que o tempo é uma categoria mensurável, conhecida e inexorável. Nesse retorno, percebe-se que o tempo não foi bem elaborado pelas tramas ou que não foi o mesmo para todas elas, ignorando, na prática, o "enquanto isso" minuciosamente construído pelo cinema clássico.

Aparentemente, a maneira mais adequada para analisar a coordenação do tempo das tramas é comparar o que se fala na diegese com o que se faz, ou verificar se o tempo das ações e o tempo conhecido (de uma gravidez, por exemplo) são compatíveis, ou, ainda, comparar fatos iguais que deveriam durar o mesmo tempo.

Por exemplo, em *América*, as incontáveis idas e vindas do Rio de Janeiro (Brasil) a Miami (Estados Unidos) são imediatas. Alguns personagens vão e voltam dessas cidades em um piscar de olhos, como outros vão de um bairro para outro dentro da mesma cidade. Certamente os protocolos podem ser excluídos, o que não significa que o tempo deixe de passar ou de ter dimensão. A ida ao aeroporto, o *check-in*, a espera, a entrada na aeronave, a viagem (que dura cerca de oito horas), a chegada, a satisfação às polícias federais, o recolhimento das bagagens e a ida ao endereço na cidade de destino podem ser deduzidos pelos espectadores, são protocolos dispensáveis. No entanto, o tempo que essas ações requerem não é dispensável nem pode ser ignorado. Não se leva entre Rio de Janeiro e Miami o mesmo tempo que se leva entre Vila Isabel e Zona Sul (ambas no Rio de Janeiro). São tempos diferentes, de durações distintas. Esses deslocamentos parecem ter a mesma duração e indicam que o tempo nas telenovelas é uma entidade quase ignorada, pouco trabalhada.

O tempo da fuga de Teodoro e Olívia (*O cangaceiro*) dura dois dias, e esses dois dias são sentidos e percebidos em todos os personagens. Dadinho (*Cidade de Deus*) levou mais de dez anos para virar Zé Pequeno, e os dez anos são notados, explicitados, iguais para todos os indivíduos. *O grande momento* se passa em um dia, e cada minuto desse dia é claramente vivido por todos os personagens e percebido pela audiência.

Porém, nas telenovelas, não há tanto cuidado com as passagens de tempo; os fatos parecem estar em um mundo diferente, protegido da passagem temporal, mesmo quando estão relacionados. Quanto ao espectador, ele reconhece essas dessincronizações, mas ainda assim se regozija com a novela. É o contrário do que o cinema clássico achava – que um desarranjo na construção do tempo implicaria dúvida e distanciamento do espectador, colocando em risco a credibilidade e a identificação, o que o afastaria da tela e da imersão acrítica na trama. A telenovela é merecedora dessa imersão mesmo com desacertos na organização temporal. Os índices de audiência comprovam o que custamos a acreditar: as histórias podem ser contadas de modo atemporal, com uma organização do tempo inverossímil e talvez anárquica, mas, mesmo assim, ser prazerosamente desfrutadas pelos espectadores.

Um dos casos mais gritantes, que mereceu até comentários das revistas de fofoca e dos jornais mais sérios[25], foi a gravidez de Sol e a de Rose em *América*. Qualquer espectador sabe que uma gravidez leva em média nove meses. Sol descobre que está grávida no capítulo 151. No 186, tem seu filho e é curiosamente amparada por Tião. Já Rose fica grávida de Radar no ca-

25 Na coluna de televisão do caderno "Ilustrada" do jornal *Folha de S.Paulo* do dia 12 de outubro de 2005, o colunista Daniel Castro, também alarmado com o descompasso das duas gestações, comentou: "O fenômeno de audiência *América* vai entrar para a história como uma das tramas mais toscas já produzidas pela Globo". O colunista consultara ginecologistas para entender a discrepância e terminou a matéria com "a Globo não comentou o assunto, por se tratar de *ficção*".

pítulo 169. No 183, tem o filho. Ora, se do 151 ao 186 Sol ficou grávida e pariu, supondo que ela tenha descoberto a gravidez aos dois meses, concluímos que em 35 capítulos passaram-se cerca de sete meses. Segundo a mesma matemática, já que Rose soube da gravidez no capítulo 169 e pariu no 183, temos que em 14 capítulos também se passaram sete meses. Não há qualquer problema em ter 35 capítulos ou 14 capítulos equivalendo a sete meses. Pode haver um capítulo equivalendo a dez anos ou um corte que evolua dez anos (como em *Cidade de Deus*, por exemplo). No entanto, não é compreensível que 35 capítulos correspondam a sete meses e que 14 desses mesmos capítulos também signifiquem sete meses.

Várias páginas seriam necessárias para listar as disparidades e os casos de desconexão do tempo que saltam à vista. Freqüentes na maioria das telenovelas, essas são situações em que os tempos das ações não são coordenados entre si. Parece opção generalizada dos autores dar mais importância à avalanche de fatos do que à relação dos fatos com uma passagem de tempo plausível.

Paraíso tropical utilizou um velho recurso para tentar ordenar no tempo as ações de todos os núcleos. Durante a telenovela, várias vezes apareceram letreiros com os escritos "Alguns dias depois", "Semanas depois", "15 dias depois" e similares, de forma sóbria, com letras brancas em fundo preto. Apesar de o recurso vir do cinema mudo, ele continua eficiente. Nessa telenovela foi usado para diminuir a "anarquia" temporal e, de fato, minimizou a descoordenação, embora não tenha eliminado desacertos entre tramas, ações e tempo.

Contudo, os principais interessados nas telenovelas, os espectadores, parecem satisfeitos com a movimentação e com a avalanche de fatos, sem se importar com eventuais falhas dramáticas ou com outras características de elaboração do tempo. Trata-se, ao que parece, de uma nova contribuição das telenovelas à criação dramática, segundo a qual a construção do tempo, sua coerência e inexorável passagem não são tão relevantes quanto são para o teatro e para o cinema. Talvez essas modernas histórias televisivas remetam às narrativas míticas, contextualizadas no mundo dos deuses, em que o tempo não é uma categoria considerável e os fatos se sucedem sem a concretude que encontramos nas demais formas de contar histórias.

[illegible] de elaboração do tempo.
Trata-se, ao que parece, de uma nova contribuição da televisão, [illegible] a construção do tempo
na narrativa [illegible]
[illegible]
[illegible] televisivas [illegible] narrativas [illegible] contextual-
zadas [illegible]
[illegible]
[illegible] demais formas de contar histórias.

UM NOVO TEMPO PARA AS HISTÓRIAS

OLHAR A TELENOVELA com base em paradigmas cinematográficos permite perceber nela características de linguagem atípicas no conjunto dos dramas encenados. Muito dessa originalidade vem da raiz folhetinesca e das histórias contadas em parcelas, das quais *As mil e uma noites* parecem ser a matriz inicial.

Por outro lado, a telenovela também não se adapta integralmente à sua raiz literária, posto que, sendo audiovisual, empresta dos pares encenados outras qualidades que os folhetins nem sempre adotam ou que não lhe são apropriadas.

A essas duas bases iniciais da modalidade televisiva agregam-se condicionantes de produção e de mídia, como: o grande peso das emissoras produtoras, que agem de maneira parecida com a dos grandes estúdios norte-americanos; a interferência dos índices de audiência medidos com precisão; a atuação dos anunciantes sobre temas e personagens; as imposições da grade de programação, entre outros componentes importantes para a constituição dessa linguagem. Não são elementos dramáticos nem diegéticos, mas têm participação decisiva no novo padrão de linguagem.

Outro fator importante, e para o qual uma vertente do cinema contemporâneo está muito atenta, é a evidente mudança de comportamento do espectador, que tem repertório dramático e emocional amplo como jamais foi visto antes da TV, que se acostumou a fazer várias coisas ao mesmo tempo, que zapeia e é capaz de seguir várias histórias concomitantemente e que precisa, cada vez mais, de ações que chamem sua atenção, mesmo que estejam desconectadas do corpo principal das histórias. A avalanche de fatos se sobrepõe às relações dramáticas mais construídas.

Esses quatro conjuntos de componentes foram interferindo e sendo assimilados ao longo da história das telenovelas, que amadureceu um paradigma narrativo diferente dos anteriores.

Não há qualquer indício de que as telenovelas tenham criado sua autonomia estética e narrativa em oposição aos paradigmas anteriores, como um movimento de arte faz ao romper com o movimento anterior – na história da arte abundam situações em que o modelo estético seguinte se opõe propositalmente ao antecessor.

No caso das telenovelas, não há exatamente um padrão anterior, mas narrativas sobre as quais elas se apoiaram, e, considerando muitos outros fatores e influências, foram criando e evoluindo seu modo específico de contar as histórias.

Milhões de pessoas alteram seus compromissos para ver as telenovelas, outras organizam sua agenda para poder estar em frente à TV em determinada hora, e não é por solidariedade teórica ou estética a determinado modelo narrativo. Trata-se de um fenômeno que dá graça à vida, que proporciona momentos de prazer e de emoção, que permite viver situações que o cotidiano jamais permitiria. Esses novos paradigmas de contar histórias têm simplesmente a única, complexa e delicada intenção de agradar a essa multidão todos os dias.

LISTA DE PERSONAGENS E ATORES

Abaixo listamos os personagens citados no texto. A presença ou ausência de algum nome não significa qualquer juízo de valor ou hierarquia dramática. Há protagonistas não mencionados, assim como, por outro lado, há personagens sem grande importância que figuram no texto.

FILMES

O cangaceiro (1953)
Coronel Galdino – Milton Ribeiro
Olívia – Marisa Prado
Teodoro – Alberto Ruschel

Carandiru (2003)
Antonio Carlos – Floriano Peixoto
Claudiomiro – Ricardo Blat
Deusdete – Caio Blat
Doutor – Luis Carlos Vasconcelos
Ladi Di – Rodrigo Santoro
Majestade – Ailton Graça
Peixeira – Milhem Cortaz
Sem Chance – Gero Camilo
Seu Chico – Milton Gonçalves
Seu Nego – Ivan de Almeida
Seu Pires – Antonio Grassi
Zico – Wagner Moura

Cidadão Kane (1941)
Charles Foster Kane – Orson Welles

Cidade de Deus (2002)
Alicate – Jefechander Suplino
Bené – Phelipe Haagensen
Berenice – Roberta Rodrigues
Busca-Pé – Alexandre Rodrigues
Cabeleira – Jonathan Haagensen
Cenoura – Matheus Nachtergaele
Dadinho – Douglas Silva
Marreco – Renato de Souza
Zé Pequeno – Leandro Firmino

O grande momento (1957)
Nair – Vera Gertel
Vitório – Paulo Goulart
Zeca – Gianfrancesco Guarnieri

Psicose (1960)
Marion – Janet Leigh
Norman Bates – Anthony Perkins
Sam – John Gavin

TELENOVELAS

América (2005)
Alex – Thiago Lacerda
Ed – Caco Ciocler
Carreirinha – Matheus Nachtergaele
Consuelo – Cláudia Jimenez
Creusa – Juliana Paes
Detinha – Sâmara Felippo
Ellis – Silvia Buarque
Feitosa – Ailton Graça
Flor – Bruna Marquezini
Glauco – Edson Celulari
Geninho – Marcello Novaes

Helinho – Raul Gazolla
Irene – Daniela Escobar
Islene – Paula Burlamaqui
Jatobá – Marcos Frota
Jota – Roberto Bonfim
Junior – Bruno Gagliasso
Laerte – Humberto Martins
Lurdinha – Cleo Pires
Mariano – Paulo Goulart
May – Camila Morgado
Miss Jane – Eva Todor
Neto – Rodrigo Faro
Neuta – Eliane Jardini
Nina – Cissa Guimarães
Peppe – Gianfrancesco Guarnieri
Radar – Duda Nagle
Raíssa – Mariana Ximenes
Ramiro – Luis Melo
Rique – Matheus Costa
Rose – Cacau Melo
Seu Gomes – Walter Breda
Simone – Gabriela Duarte
Sol – Deborah Secco
Stallone – Marcelo Brou
Tião – Murilo Benício
Vera – Totia Meireles

Belíssima (2005)
Alberto – Alexandre Borges
André – Marcello Anthony
Bia Falcão – Fernanda Montenegro
Dagmar – Sheron Menezes
Delegado Gilberto – Marcos Palmeira
Érica – Letícia Birkheuer
Ester – Ada Chaseliov
Freddy – Guilherme Weber
Gigi – Pedro Paulo Rangel
Jamanta – Cacá Carvalho
Júlia – Glória Pires
Katina – Irene Ravache
Karen – Mônica Torres
Maria João – Bianca Comparato
Mateus – Cauã Reymond
Murat – Lima Duarte
Nikos – Tony Ramos
Pascoal – Reynaldo Gianecchini
Rebeca – Carolina Ferraz
Regina da Glória – Lívia Falcão
Safira – Cláudia Raia
Taís – Maria Flor
Takae – Carlos Takeshi
Vitória – Cláudia Abreu

O bem-amado (1973)
Anita Medrado – Dilma Lóes
Coronel Hilário Cajazeira – Álvaro Aguiar
Coronel Odorico Paraguaçu – Paulo Gracindo
Ernesto Cajazeira – André Valli
Dorotéia Cajazeira – Ida Gomes
Dulcinéia Cajazeira – Dorinha Duval
Judicéia Cajazeira – Dirce Miglioaccio
Juarez Leão – Jardel Filho
Nico Pedreira – Carlos Eduardo Dolabella
Telma Paraguaçu – Sandra Bréa
Zeca Diabo – Lima Duarte

Beto Rockfeller (1968 – 1969)
Beto – Luiz Gustavo

O direito de nascer (1964)
Dr. Albertinho Limonta – Amilton Fernandes

Paraíso tropical (2007)
Alice – Guilhermina Guinle
Amélia – Suzana Vieira
Ana Luísa Cavalcanti – Renée de Vielmond
Antenor Cavalcanti – Tony Ramos
Belisário – Hugo Carvana

Betina – Deborah Secco
Fabiana – Maria Fernanda Cândido
Gilda – Luli Miller
Ivan – Bruno Gagliasso
Iracema – Daysi Lucidi
Lucas – Rodrigo Veronese
Lúcia – Glória Pires
Lutero – Edwin Luisi
Paula – Alessandra Negrini
Rodrigo – Carlos Casagrande
Taís – Alessandra Negrini
Urbano – Eduardo Galvão
Virgínia – Yoná Magalhães

Roque Santeiro *(1985)*
Padre Hipólito – Paulo Gracindo
Roberto Mathias – Fábio Junior
Roque Santeiro – José Wilker
Sinhozinho Malta – Lima Duarte
Viúva Porcina – Regina Duarte
Zé das Medalhas – Armando Bogus

Senhora do destino *(2004)*
Barão de Bonsucesso – Raul Cortez
Baronesa Laura – Glória Menezes
Giovani – José Wilker
Isabel/Lindalva – Carolina Dieckman
Maria do Carmo – Suzana Vieira
Nazaré – Renata Sorrah

BIBLIOGRAFIA

ALENCAR, Mauro. A *Hollywood brasileira:* panorama da telenovela no Brasil. Rio de Janeiro: Senac, 2002.

ALTMAN, Rick. *Los géneros cinematográficos*. Barcelona: Paidós, 2000.

ARISTÓTELES. Poetics. In: BLACK, Walter J. *Aristotle – On man in the universe*. Nova York: Classic Clubs, 1971.

ARISTÓTELES; HORÁCIO; LONGINO. *A poética clássica (Poética)*. São Paulo: Cultrix, 2005.

AUMONT, Jaques; MARIE, Michel. *Dicionário teórico e crítico de cinema*. Campinas: Papirus, 2003.

BACCEGA, Maria Aparecida. Estereótipo e as diversidades. In: *Comunicação e Educação*, São Paulo, Moderna/USP, n. 13, 1998.

BALL, David. *Para trás e para frente*. São Paulo: Perspectiva, 1999.

BARRETO, Lima. *O cangaceiro*. Fortaleza: Imprensa Universitária/ Universidade Federal do Ceará, 1984.

BARTHES, Roland. El efecto de realidad. In: *Comunicaciones*, n. 11, 1968. Buenos Aires: Tiempo Contemporaneo, 1970.

______. *Elements of semiology*. Nova York: Hill and Wang, 1985.

______. Introdução à análise estrutural da narrativa. In: ______. *Análise estrutural da narrativa*. Petrópolis: Vozes, 1971.

BAZIN, André. *What is cinema?* .vol. I. Berkeley: University of California Press, 1967.

BORDWELL, David. The classical Hollywood style. In: BORDWELL, David; STAIGER, Janet; THOMPSON, Kristin. *The classical Hollywood cinema*. Nova York: Columbia University Press, 1985.

BORELLI, Silvia; ORTIZ, Renato; RAMOS, José. *Telenovela:* história e produção. São Paulo: Brasiliense, 1991.

BOURDIEU, Pierre. *Sobre a televisão*. Rio de Janeiro: Jorge Zahar, 1997.

BRADY, John (org.). *The craft of the screenwriter*. Nova York: Simon and Schuster, 1982.

BRIGGS, Asa; BURKE, Peter. *Uma história social da mídia*. Rio de Janeiro: Jorge Zahar, 2002.

BROOKS, Peter. *The melodramatic imagination*. Londres: Yale University Press, 1995.

CABRALE, Lia. *O rádio na sintonia do tempo:* radionovelas e cotidiano (1940-1946). Rio de Janeiro: Casa de Rui Barbosa, 2006.

CAMPBELL, Joseph. *The hero with a thousand faces.* Princeton: Princeton University Press, 1973. [*O herói de mil faces.* 11. ed. São Paulo: Pensamento, 1995.]

CAMPEDELLI, Samira Youssef. *A telenovela.* São Paulo: Ática, 1987.

CANDIDO, Antonio. A personagem do romance. In: ______ (org.). *A personagem de ficção.* São Paulo: Perspectiva, 1976.

CARRIÈRE, Jean-Claude; BONITZER, Pascal. *The end.* Barcelona: Paidós Ibérica, 1995.

CHATMAN, Seymour. *Coming to terms:* the rhetoric of narrative in fiction and film. Ithaca: Cornell University Press, 1990.

COSTA, Flávia Cesarino. *O primeiro cinema.* São Paulo: Scritta, 1995.

COSTA, Maria Cristina Castilho. *A milésima segunda noite: da narrativa mítica à telenovela.* 1998. Tese (Livre-Docência em Comunicações e Artes). Escola de Comunicações e Artes, Universidade de São Paulo, São Paulo.

CSIKSZENTMIHALYI, Mihaly. *Beyond boredom and anxiety.* San Francisco: Jossey-Bass, 1975.

DANIEL FILHO. *O circo eletrônico:* fazendo TV no Brasil. Rio de Janeiro: Jorge Zahar, 2001.

DAYAN, Daniel. The tutor-code of classical cinema. In: NICHOLS, Bill (org.). *Movies and methods, an anthology.* Berkeley: University of California Press, 1976.

DIDEROT; D'ALEMBERT. *Enciclopédia ou Dicionário raciocinado das ciências das artes e dos ofícios.* São Paulo: Unesp, 1989.

DINIZ, Alberto (tradução da versão de Antoine Galland). *As mil e uma noites.* Vols. 1 e 2. Rio de Janeiro: Ediouro, 2000.

ECO, Umberto. James Bond: uma combinatória narrativa. In: BARTHES, Roland. *Análise estrutural da narrativa.* Petrópolis: Vozes, 1971.

______. *Obra aberta.* São Paulo: Perspectiva, 1971.

ESSLIN, Martin. *Uma anatomia do drama.* Rio de Janeiro: Zahar, 1978.

FEDERICO, Maria Elvira. *História da comunicação:* rádio e TV no Brasil. Petrópolis: Vozes, 1982.

FERREIRA, Mauro. *Nossa Senhora das Oito:* Janete Clair e a evolução da telenovela no Brasil. Rio de Janeiro: Mauad, 2003.

FIELD, Syd. *Screenplay:* the foundations of screenwriting. Nova York: Dell Publishing, 1985. [*Manual de roteiro*. Rio de Janeiro: Objetiva, 1982.]

______. *The screenwriter's workbook*. Nova York: Dell Publishing, 1984.

FROUG, William. *Zen and the art of screenwriting*. Beverly Hills: Silman-James Press, 1996.

GLASS, Arnold Lewis. *Cognition*. Don Mils: Addison-Wesley Publishing House, 1979.

GOMES, Dias. *O bem-amado*. Rio de Janeiro: Bertrand Brasil, 2002.

GOMES, Paulo Emílio Sales. A personagem cinematográfica. In: CANDIDO, Antonio. *A personagem de ficção*. São Paulo: Perspectiva, 1976.

GRAESSER, A. C.; OLDE, B.; KLETTKE, B. How does the mind construct and represent stories? In: GREEN, M. C.; STRANGE, J. J.; BROCK, T. C. *Narrative impact*. Londres: Lawrence Erlbaum Associates, 2002.

GRANT, Barry Keith. *Film genre reader*. Austin: University of Texas, 1990.

GREBANIER, Bernard. *Playwriting*. Nova York: Barnes and Noble, 1979.

GRIFFITHS, Stuart. *How plays are made*. Englewood Cliffs: Prentice-Hall, 1984.

HAMBURGUER, Esther. *O Brasil antenado:* a sociedade da novela. Rio de Janeiro: Jorge Zahar, 2005.

JAROUCHE, Mamede Mustafá (tradução). *Livro das mil e uma noites*. Vols. 1 e 2. São Paulo: Globo, 2005.

KEHL, Maria Rita. Eu vi um Brasil na TV. In: KEHL, Maria Rita; COSTA, Alcir; SIMÕES, Inimá. *Um país no ar:* história da TV brasileira em três canais. São Paulo: Brasiliense, 1986.

LABARRÈRE, André. *Atlas du cinéma – Encyclopédies D'aujourd'hui*. Paris: Librairie Générale Française, 2002.

LÉVY, Pierre. *As tecnologias da inteligência*. São Paulo: 34, 1993.

LIMA, Mauro Corrêa. *América Latina:* paraíso das telenovelas. 2004. Tese (Doutorado em Comunicação e Estética do Audiovisual). Escola de Comunicações e Artes, Universidade de São Paulo, São Paulo.

MACHADO, Arlindo. *Máquina e imaginário:* o desafio das poéticas tecnológicas. São Paulo: Editora da USP, 1993.

______. *Pré-cinemas e pós-cinemas*. Campinas: Papirus, 1997.

______. *A televisão levada a sério*. São Paulo: Senac, 2000.

MAGALDI, Sábato. *Introdução ao teatro*. São Paulo: Ática, 1998.

MANTOVANI, Bráulio; MEIRELLES, Fernando; MÜLLER, Anna Luiza. *Cidade de Deus*: o roteiro do filme. Rio de Janeiro: Objetiva, 2003.

MATTOS, David José Lessa (org.). *Pioneiros do rádio e da TV no Brasil*. Vol. 1. São Paulo: Códex, 2004.

MATTOS, Sergio. A grade sintagmática do filme narrativo. In: BARTHES, Roland. *Análise estrutural da narrativa*. Petrópolis: Vozes, 1971.

______. *História da televisão brasileira*: uma visão econômica, social e política. Petrópolis: Vozes, 2002.

______. *A significação no cinema*. São Paulo: Perspectiva, 1977.

MEYER, Marlyse. *Folhetim*: uma história. São Paulo: Companhia das Letras, 1996.

MINSKY, Marvin. *The society of mind*. Nova York: Simon and Schuster, 1986.

MOREIRA, Roberto. Vendo a televisão a partir do cinema. In: BUCCI, Eugenio (org.). *A TV aos 50*: criticando a televisão brasileira no seu cinqüentenário. São Paulo: Fundação Perseu Abramo, 2000.

MOTTER, Maria de Lourdes. Telenovela: arte do cotidiano. In: *Comunicação e Educação*, São Paulo, Moderna/USP, n. 13, 1998.

MUSSER, Charles. *Before the nickelodeon*: Edwin S. Porter and the Edison Manufacturing Company. Berkeley: University of California Press, 1991.

ORAIN, Fred. Film, cinéma et television. In: *Cahiers du Cinema*, Paris, Editions de L'Etoile, abril de 1951.

PALLOTTINI, Renata. *Dramaturgia de televisão*. São Paulo: Moderna, 1998.

______. *Introdução à dramaturgia*. São Paulo: Brasiliense, 1983.

PRADO, Décio de Almeida. A personagem de teatro. In: CANDIDO, Antonio. *A personagem de ficção*. São Paulo: Perspectiva, 1976.

PROPP, Vladimir I. *Morfologia do conto maravilhoso*. Rio de Janeiro: Forense Universitária, 1984.

ROSENFELD, Anatol. Literatura e personagem. In: CANDIDO, Antonio. *A personagem de ficção*. São Paulo: Perspectiva, 1976.

SCHANK, R. C.; BERMAN, T. R. The persuasive role of stories in knowledge and action. In: GREEN, M. C.; STRANGE, J. J.; BROCK, T. C. *Narrative impact*. Londres: Lawrence Erlbaum Associates, 2002.

SCHATZ, Thomas. *Hollywood genres:* formulas, filmmaking and the studio system. Nova York: McGraw-Hill, 1981.

SCORSESE, Martin; WILSON, Michael Henry. *Uma viagem pessoal pelo cinema americano*. São Paulo: Cosac Naify, 2004.

SEGER, Linda. *Creating unforgettable characters*. Nova York: Henry Holt and Company, 1990.

SHAKESPEARE, William. Hamlet. In: *The works of Shakespeare*. Nova York: Blacks Readers Service Company, 1937.

______. *Hamlet*. Tradução de Carlos Alberto Nunes. Rio de Janeiro: Ediouro, 1997.

______. *Hamlet*. Tradução de Millôr Fernandes. Porto Alegre: LP&M, 1999.

SIMÕES, Inimá. *Roberto Santos:* a hora e a vez de um cineasta. São Paulo: Estação Liberdade, 1997.

______. TV à Chateaubriand. In: KEHL, Maria Rita; COSTA, Alcir; SIMÕES, Inimá. *Um país no ar:* história da TV brasileira em três canais. São Paulo: Brasiliense, 1986.

SOURIAU, Etienne. *As duzentas mil situações dramáticas*. São Paulo: Ática, 1993.

THOMPSON, Kristin. *Storytelling in film and television*. Londres: Harvard University Press, 2003.

______. *Storytelling in the new Hollywood*. Londres: Harvard University Press, 2001.

______. The formulation of the classical style. In: BORDWELL, David; STAIGER, Janet; THOMPSON, Kristin. *The classical Hollywood cinema*. Nova York: Columbia University Press, 1985.

TODOROV, Tzvetan. As categorias da narrativa literária. In: BARTHES, Roland. *Análise estrutural da narrativa*. Petrópolis: Vozes, 1971.

______. *As estruturas narrativas*. São Paulo: Perspectiva, 1979.

______. *Os gêneros do discurso*. São Paulo: Martins Fontes, 1980.

______. *Poétique de la prose*. Paris: Editions du Seuil, 1971.

TOMACHEVSKI, B. Temática. In: *Os formalistas russos*. Rio de Janeiro: Globo, 1968.

VILCHES, Lorenzo. *La lectura de la imagen:* prensa, cine, televisión. Barcelona: Paidós Ibérica, 1990.

______. *La televisión*. Barcelona: Paidós Ibérica, 1993.

VOGLER, Christopher. *The writer's journey*. Studio City: Michael Wiese Productions, 1998. [*A jornada do escritor*. Rio de Janeiro: Nova Fronteira, 2006.]

XAVIER, Ismail (org.). *O discurso cinematográfico*. Rio de Janeiro: Paz e Terra, 1977.

______. *D. W. Griffith:* o nascimento de um cinema. São Paulo: Brasiliense, 1984.

______. *A experiência do cinema*. Rio de Janeiro: Graal/Embrafilme, 1983.

______. *O olhar e a cena*. São Paulo: Cosac Naify, 2003.

WITHERSPOON, John; KOVITZ, Roselle. *A history of public broadcasting*. Washington: Current Publishing Committee, 2000.

Periódicos consultados

Chega mais! – São Paulo, Símbolo, semanal
Correio brasiliense – Brasília, diário
Folha de S.Paulo – São Paulo, diário *Minha novela* – São Paulo, Abril, semanal.
O Estado de S. Paulo – São Paulo, diário
Tititi – São Paulo, Abril, semanal
Viva! Mais – São Paulo, Abril, semanal

IMPRESSO NA
sumago gráfica editorial ltda
rua itauna, 789 vila maria
02111-031 são paulo sp
telefax 11 6955 5636
sumago@terra.com.br
G R Á F I C A
sumago